U0064459

劉福春・李怡 主編

民國文學珍稀文獻集成

第二輯

新詩舊集影印叢編　第68冊

【滕固卷】

死人之嘆息

上海：光華書局 1925 年 5 月初版，1926 年 1 月再版

滕固　著

花木蘭文化事業有限公司

國家圖書館出版品預行編目資料

死人之嘆息／滕固　著 — 初版 — 新北市：花木蘭文化事業有限公司，2017〔民106〕

156面；19×26公分

（民國文學珍稀文獻集成・第二輯・新詩舊集影印叢編　第68冊）

ISBN 978-986-485-151-5（套書精裝）

831.8　　106013764

民國文學珍稀文獻集成・第二輯・新詩舊集影印叢編（51-85冊）

第68冊

死人之嘆息

著　者　滕固
主　編　劉福春、李怡
企　劃　首都師範大學中國詩歌研究中心
　　　　北京師範大學民國歷史文化與文學研究中心
　　　　（臺灣）政治大學民國歷史文化與文學研究中心
總編輯　杜潔祥
副總編輯　楊嘉樂
編　輯　許郁翎、王筑　美術編輯　陳逸婷
出　版　花木蘭文化事業有限公司
社　長　高小娟
聯絡地址　235 新北市中和區中安街七二號十三樓
　　　　電話：02-2923-1455／傳眞：02-2923-1452
網　址　http://www.huamulan.tw　信箱　hml 810518@gmail.com
印　刷　普羅文化出版廣告事業
初　版　2017年9月
定　價　第二輯51-85冊（精裝）新台幣88,000元　

死人之嘆息

滕固 著

滕固（1901 ～ 1941），原名滕成，上海寶山人。

光華書局（上海）一九二五年五月初版，
一九二六年一月再版。原書三十二開。

死人之嘆息
上海光華書局印行

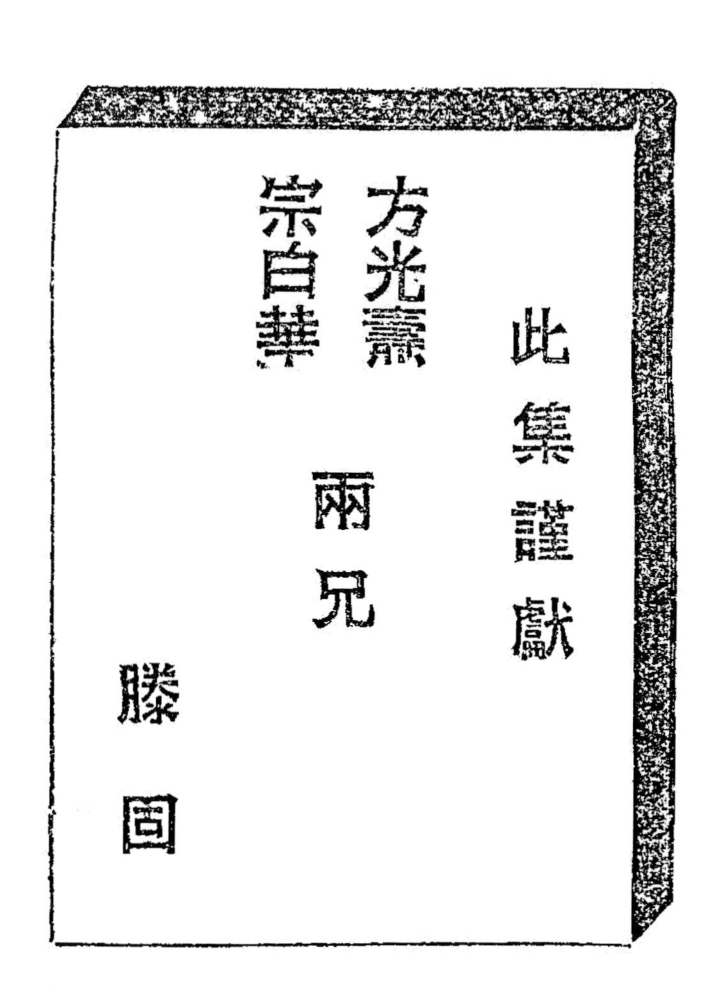

—滕固作集第三種—

死人之嘆息

獻本之詩

慈悲的說教者，
聽，請屏息地聽！
他硬把青春活埋，
開始無窮的長嘆。

他含住母親的乳頭，
飲了無數的靈漿；
他活了，母親死了，
他留下些悲痛的嘆息。

死人之歎息

他陶醉在銀光的海裏，
百萬的鮫人裹抱住他；
黃金的愛，倏忽幻滅；
他留下些甜蜜的嘆息。

故國，異國，他鄉，故鄉；
人生的旅路無盡長！
歸來——沿途嘔血，
他留下些幽沈的嘆息。

他看見灼熱的油鍋中，
煎熬着行尸走肉；

銀河的水，洗不盡腥臭；
他留下悽惘的嘆息。

慈悲的說教者，
聽，請屏息地聽！
待他的長嘆休止，
就把他葬在你們的胸次。

一九二四，十一，三。滕固稿於東京澁谷

目次

死人之歎息

第二輯　散文

2

目次

第一輯　詩

瀨戶內海

長行客，
在瀨戶海上；
漂來浮去，
八九次了！

。

海水，
一年年的青碧；
長行客：
一年年的孤寂。

死人之歎息

海水裏，
映着長行客的面顏，
瘦削的，
海水把他洗得清鮮！
。。。
漂來的時候，
躍入你溫暖的懷抱；
浮去的時候，
脫出你沈默的桎梏。
。。。
長行客，
死在沈寂的荒郊；

海水，
飛漲了萬丈的狂濤。

異端者之懺悔

他所有的秘密，
論理不能解釋；
他所有的悲痛，
上帝不能慰藉；
他所有的罪惡，
牧師不能回贖；
他只希望有個詩人，
將秘密告訴你，

死人之歎息

將悲痛傾吐你，
將罪惡交給你，
你替他一肩擔負；
他安心地歸到墳墓！

他的赤條條的靈魂，
永遠飄蕩與浮沈！
他是天國的門外漢，
他是地獄的覬覦者，
他不希望天國，
他很恐怖地獄；
他祇望有位建築師，

替他建座靈魂之屋！
他的靈魂有歸根，
那便是他的恩人。

過去的生命啊！
輪流他的腦底；
決絕的戀人啊！
反映他的眼底；
你們是夏天的蛆毒，
來咀嚼他的肉，
你們是六月的蚊毒，
來吸吮他的血；

死人之歎息

他的肉變了紅腫，
你們才肯休罷！
他的血止住流動，
你們才肯休罷！

在「我」的寶座前，
他委曲地祈禱說：
「我」啊！你應許我，
將我昏亂的腦髓，
漂洗得潔白；
將我汚濁的血液，
蒸濾得清澈；

忘掉我是敗北者，
重上人生的戰綫！
「我」啊！你允許我。

一個 Sketch

她畏縮地靠在我的書桌上，
問她：幾歲了？
她痴望着我一聲不答。
問她：家鄉呢？
她癡望着我一聲不答。
問她：居停主人是你的父母嗎？
她提起了紙筆，

畫了一張 Sketch：
——一個女子哭出她的眼淚，
滴滴地流到碗的飯碗裏。——
她吐了吐舌頭望着我，
眼兒水汪汪的，
伸手縮脚地逃去了。
於是她不到我這裏來了。

海上悲歌前曲

天風浪浪！
海水滄滄！
去能到未知的國土，

海上悲歌前曲

從此拜別你的故鄉！
誰還與你相親，
孤零零的旅者喲，
你知道嗎知道嗎，
你早被屏在人世的以外了，

天風浪浪！
海水滄滄！
你身外無一件長物，
你胸中有萬種雜言；
托天空的飛鳥，
飛去，飛去，飛去，

死人之歎息

飛到你母親的墓傍，
告訴她：悠悠此去的悲傷。

天風浪浪！
海水滄滄！

你所夢想的一人，
在白雲西去的彼方；
白雲不會趁你去，
你們從此生離了。
逝者如斯的時間啊，
何時賞賜你們再會的一天。

天風浪浪！
海水滄滄！
明月照在你的頭上，
海面上輕流着銀光。
夜的沈沈，海的渾渾，
威迫你那弱小的靈魂。
祇有慈悲的明月，
私下安慰你這無告的一人。

海上悲歌後曲

天風浪浪！
海水滄滄！

死人之歎息

呀，幻海裏的輕航，
白天行，黑夜行，
今年行，明年行；
你這年青的旅者，
行近了死的時光；
何時達到你渴望的岸上。

天風浪浪！
海水滄滄！
夕陽汨沒在海底，
天地鍵閉了殿堂。
海神震怒 鮫龍騰空！

你躍在狂捲的旋渦中；
不住的翻來覆去，
渾身青紫，化成了腐屍。

黃金時代

萬紫千紅的花瓣，
紛紛地落在池水上；
池水——青青碧，
一片見底的琉璃。
。。。
我是一尾瘦長的小魚，
優遊地，自在地，

死人之歎息

在澄澈的水中，
翩翻地游泳。
。。。
振起了生命的全力，
興作了無數的微波；
我在水底休息，
萬花在水面跳舞。
。。。
多麼美麗啊，
多麼輕妙啊，
黃金時代——
在池沼中復活了。

湖水

清瀞碧的湖水，
舖着一片晶瑩的琉璃；
我們低着頭靠在石闌上，
深深地注視湖水，
水底裏藏着她的臉兒。
水底裏又藏着我的臉兒。
。　。　。
別了，毋忘此時此境，
這一片湖水的盈盈；
水上的我與她；

水底的我與她；
這X形的視線裏，
有多少說不出的話！

記憶

燈光燦爛的大庭。
歌聲琴聲歡笑聲。
幾多花樣的年青們，
我也其中的一人。
。。。
一個人兒對着我，
驚惶地喊道：

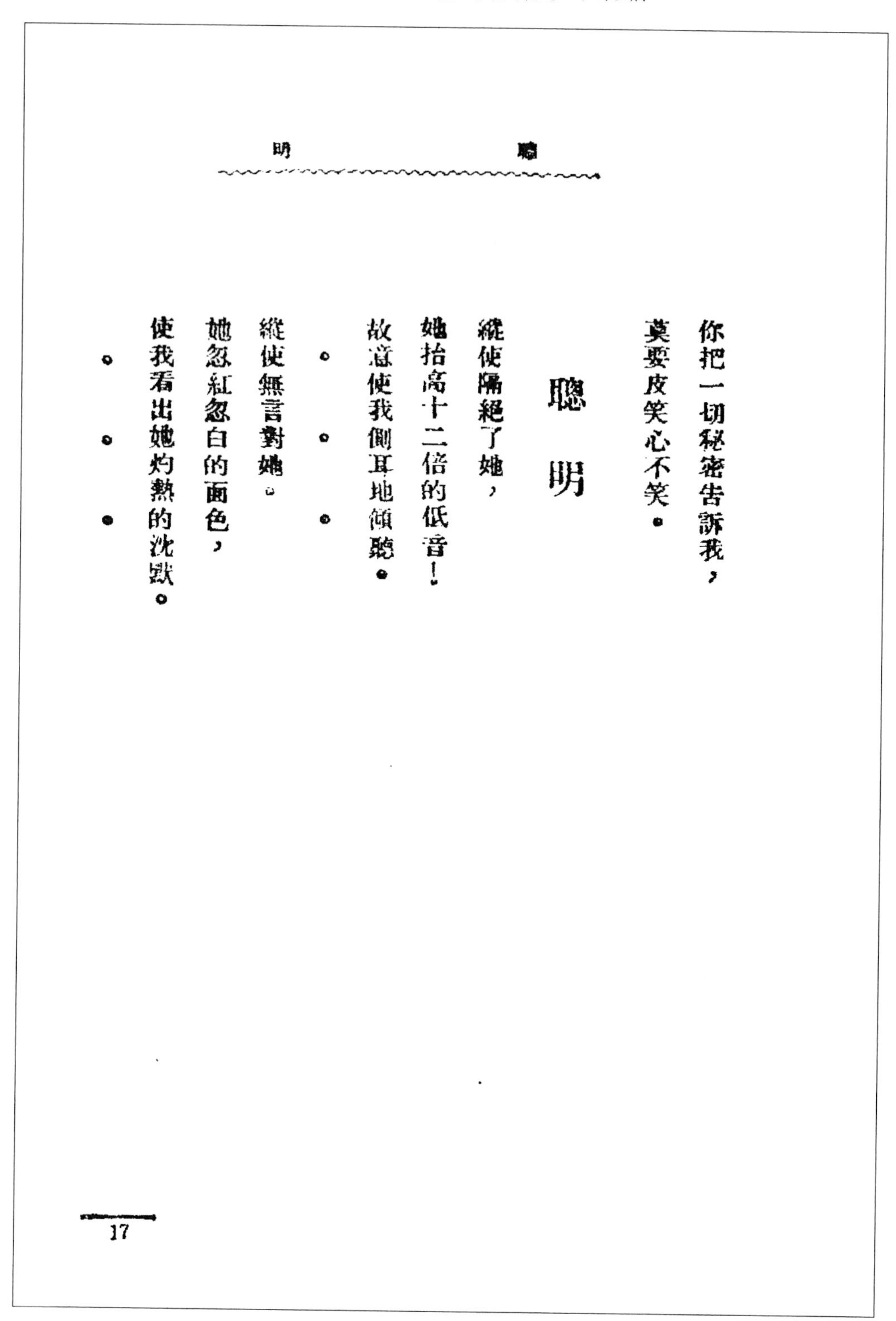

你把一切秘密告訴我，
莫要皮笑心不笑。

聽明

縱使隔絕了她，
她抬高十二倍的低音！
故意使我側耳地傾聽。
。。。
縱使無言對她。
她忽紅忽白的面色，
使我看出她灼熱的沈默。
。。。

天還沒有蔽我的聰明。

啊，我何幸！我何幸！

寄 H.W.

在旅店的廣庭裏，

唱罷了 Tennyson 的 Princess，

你退下場來幽咽地說：

「我不能久留了！」

。　。　。

在茶店的客廳裏，

唱罷了 Longfellow 的 Evangeline,

你退場來決心地說：

「我不能久留了！」
。。。
陰暗而深碧的背景，
華嚴而沈壯的舞蹈；
歌唱的一聲中，
誰還找出你來。

梵唄外五首

梵唄

黎明的梵唄，
唱出了招魂的哀調：
母親死時的音樂，

死人之歎息

又在別家裏響了。

足音

門外的足音，
悠然地去了。
不是戀人，
徒費了我的心悸！

夜

窗外的月光，
淡淡的輝映窗闌；
窗裏的燈光
襯出了一個女性的黑影；
她沈沈地靠住窗闌。

覺頌外五首

一陣陣的夜風，
吹得她偏體清寒，
可不曾吹涼她在熱的急喘！

路傍

月夜的路傍，
失掉了他愛人的影子，
他在那裏徬徨。

飛馬

忽然我變了飛馬，
奔馳於無際的大空。
渾身的冷汗，
還疑是清夜的甘露；

一點的燈光，
還疑是足下的星辰。
夢之魔術者，
靈之被試者。

悲劇作者頌

他閉住了一雙眼睛，
用淚線看宇宙的萬形；
他塞住了二隻耳朵，
用血管聽人們的哀音。
他釀了淚和了血，
灑到大地的舞台上，

宇宙正覆着晦暝，
人們從夢中哭醒。
他並不患聾盲的病，
Melpomene 是坍着他的生命。

死的消息

橫豎順路死，朋友！
你千萬告訴我將嫁的人說：
「他死——死在異國的了。」
並且抱着一股勇氣地說：
「當時在病院裏親見他死的。」

。 。 。

無論如何要你幫助，朋友：
你裝出活現地一般，
使她再沒有疑心；
並且婉轉地安慰她，
教她努力前途的新生命。

顫音

何等的哀轉而輕盈，
她正唱着急調的顫音；
聽呀，閤攏了眼兒聽，
好像從那種聲波裏，
傳來一層層的痛楚，

啊，我！啊，我我！
恨不得把一柄鐵杖，
立刻將我的心兒打破。

荒城的一夜

（一）

八九年前的宿舍，
三十六間靜僻的廢衙，
今夜，明月在天之空，
樹影在粉牆間流動。
。 。 。
沒一點兒聲音，

死人之歎息

祇有蟋蟀在壁下悲鳴。
鬼啊狐啊紅鼻綠眼啊；
小時恐怖之泉乾涸的了。

（二）

茶店的天井裏，
主人的女兒在那邊乘涼；
不消說是舊相識。
况是一年的同窗友。

。　。　。

一樣的長到成人了，
她把蒲扇遮住了面，
竊竊的聽我告訴主人：

八九年來我的飄浪。

蘆間之尸

青灰色的婦人之尸，
粗而肥的死後之肉體：
一莖紗線兒也不掛，
畢挺挺的躺在蘆塘裏，
。。。
從何處漂泊來的喲，
無限的慾求完結了！
夕陽自蘆間透出來，
顯出一種空想者的悲哀。

和田山之秋

高原的大道，
都會在遠處；
兩傍夾着，
高大的古樹，
低小的屋子。

在落葉的紛亂中，
她迎着風兒，
揮手去了。
風吹她的衣角，愈飄愈小，

囘風傳來一陣陣的苦笑。

死人之嘆息

芬芳，馥郁，
油漆的棺木。
一種說不出的香氣，
比婦人的頭髮更濃膩。
啊，最後的陶醉，
手足於是麻木了。

第二輯　散文

小品

一　靈魂的漂泊

噴泉的濺沫，在空中四處亂射；一絲絲的陽光照着她，現出她的色相；她竟沒有容身之地。祇有晶溶的一滴，堵在那張桐葉上，許多桐葉遮住了她。

夜來一陣風，把那張桐葉吹到湖中；那一滴的濺沫，立刻變成幻泡。隨那輕輕的波兒蕩漾着，西也西，東也東；她依舊沒有容身的地方

無情的細雨，把那個幻泡衝得粉粉碎了。她便渾身在迷霧中，在半空不住的飄蕩。不幸碰到人的肉體上，立刻化成汚垢齷齪。世間只吐棄汚垢齷齪，她何處可歸根？啊，靈魂的飄泊！

二　歌聲

天上月，湖中月，

死人之歎息

灣灣對對相連續。
相連續，做銀鐲；
套上我的小臂膊。
嘴吻吻，手摸摸，
千金萬金不願脫。

過去的背景上，長留這一片的歌聲。在沈寂的深夜裏，展開我的背景，覆在燈光的上面，拚命的囘往到我十年前的生命裏。

白粉壁間，現出了一個個的黑影：是她嗎？是我嗎？是我的弟弟妹妹嗎？是一幅過去的背景。

一灣新月，掛在天之一角，我家門前的明月溪，還是舊時相識。江北船上的女兒，坐在船頭，正唱那哩哩啦啦聽不懂的歌聲。夜夜聽她唱，她唱得出神，我便喊了弟弟妹妹，衝到門前，罵幾聲「野人，野人！」

一天一天，一個月數個月的久長了。我們也造了一種捲舌兒的言語，學她唱那哩哩啦啦的一片歌聲。夕陽在山，她背了木柴回船；一頭走，一頭唱；她唱得出神，我們也唱得出神，我六歲的弟更加唱得出神。

一年年的過去，好比門前的流水。江北船還是停在我家的門前。那一片哩哩啦啦的歌聲，我們唱得比背書都熟了，她却在私地裏唱，不敢張着高聲。

後來我們不聽得她唱了，我們一見她便唱，唱得她臉兒飛紅。但我們也就被媽媽禁止住了；因爲她不久做我們鄰家的嫂嫂。

鄰家嫂嫂生的兒子，長得我們當時那樣大了。只隔了十年，歌聲斷了，我的生命之花也謝去了。在這沈寂的深夜裏，縛住我奄奄一息的靈魂，譜上心弦，流出生命的韻律；祇有這一片歌聲。

三　旅中

她是一個可憐的少女，她是替我們鄰家守孩子的少女。「回去罷，寶貝！回去囘去。」

我在樓上，差不多每天聽得她這種嬌柔的聲音；在下面狹狹的胡同裏蕩着。今天我又聽得了，我的心兒沸熱得利害，有個魔鬼，來壓迫我寫了「你何名」「我愛你」幾個很大的字；在樓窗上張貼着。她頂足地看了一陣，她又退後幾步看；又像防別人看見，口裏無意識的喊着：「囘去罷囘去罷！」

傍晚我從學校裏囘寓，總是嬾嬾地望席上躺下。但是一聽得她那種柔和而帶高亢的聲調，像是有意使我聽得；於是我立刻起身望她，她低側頭不自然的和孩子玩笑。

她不常到這胡同裏來玩了。我幾次在街上遇見她，她立刻轉身望別處，面兒漲得飛飛紅的。

生涯的一片（一九二一）

——病中雜記——

自七月末，至十月初，我的生涯都在病中，既懶作日記，隨感隨錄，一本草稿簿上，筆跡紊亂，幾不能自認；念也是過去生涯的一片，重抄一過。以質同情者。自記。

回到故鄉二天；住進前後裝置不透明蜊殼窗的一間書室，覺得不自然，但呆呆的望着窗外景物；我的弟弟，正替我整理帶回來的書籍，翻出幾本畫集，放到另一桌上。他看我這樣無聊的神氣，對我說：「哥哥，你好久不回家，比生客都又生了！我知道的這一間書室光線不足，加上你頭髮長面色白一副病的面孔；當然不適宜的。」我一想，到也不差；但我先前預定的計劃，原要住鄉間；尋些田園的樂趣，所以不想到別處，況且父親與嫡母，都很歡喜我此次的回家。

書室中裝着五六架被蟲嚙的舊書；很想翻出些從前念過的詞曲書，但覆過幾位朋友來信後，再沒有心思去做；幾位堂房的弟弟，要來問我數學英文；他們正預備入學試驗，而我則無意於此；只是就能夠回答的告訴了他們。一面靠到病榻上，一味的心焦，默默空想；在例身體不好，不該自亂其心；便用力去打消空想，越是打消，越是利害；手足漸有點冷顫，一陣陣的紅熱，渲染到臉上；這是第二次瘧疾發作的預兆，

流行感冒，我本不以為意，發過熱，依舊可起牀；我現在正要嘗田園滋味，我小時候曾久嘗這種滋味，離家八九年，怎樣的甜蜜，早忘却了！反從書本上，聽到人家講起田園的滋味，非常的渴慕，有時惹起回想故鄉，含着寫不出的悲哀。

今天清早，弟弟比我先起身，我也隨即離牀而下；推開窗子，對着晨曦，作多次深呼吸；窗外空曠，一片生氣勃勃的田野誘引我，在這殘夏，使我不知不覺重溫R Jeffrice 的 The Story of My Heart 裏的種種情與景。久矣渴望，居然現到眼前；他曾說：『早晨常推開我的窗子，闖進了夏天柔嫩的空氣，吹得一樣的甜蜜情調』；J氏為英國有數的抒情文作家；他的此作，人家與華滋渥士的詩比擬；我從

前讀這書的時候，我每自想：再也領略不到他沒有領略的。書中是他的內面生活，與自然聯絡，可當自然療病法讀。Mitford 女士卜居於 Reading 近旁，著 Onr Village；縱推爲名著，我覺得却不如前者的一往情深。因爲他在自然的深處，抉出祕密的狂熱；強力地超絕自然，超絕皮相的生活。所以這部精幹的散文，——詩的散文——我們隨便翻出一二句念念，已足感到精神與自然渾化而爲合一的了。

殘夏與新秋交替的時候；果然早與晚最涼爽。這二三天不熱，在家裏非常的寂寞；所以每晚宿於吟秋家裏的攬芳室。在暑假中有好幾位朋友，都宿在他家裏，看報紙，讀書，弄音樂，很能消歇萬慮。晚上正是『夕陽無限好祇是近黃昏』，此時，大家從洞洞橋兜過黃泥涇；或從眞武殿兜過貞女坊，送夕陽歸去。未歸以前，曾與Y兄，在N大學樓上望落日；Y兄說：『在日與夜交替時的光景，是 Eveniug 最神祕的光景』年年夏假，總有這等『斜日低山片月高睡餘行樂繞江郊』的興致；前年還移住西寺中讀書，今年儕侶加多，太可厭了。攬芳室外，西偏有一花壇；玫瑰與鳳仙兩種，鳳仙漸漸開得大了，玫瑰却已枯死有人說：「相傳玫瑰是主婦，鳳仙是婢；一到新秋，婢黠於主，主便氣死！」在故鄉還能找出這種美妙的傳說，眞是難得的。

我以爲像這樣逍遙過日，決不會再發寒熱，可是我的病不是精神病，實在感受太深，又發熱了，於是瘧疾變成秋瘟，這時我的嫡母也病了，她身體本羸弱，年年到秋天發病；我利用暑假來服事嫡母，自從我的親母死後，凡六七年。我覺得年年暑假，有多少日子守嫡母的病牀；因爲她也不欲我離開。親母死後，我纔從夢中哭醒，認識母親之愛，幸而嫡母撫我如己出，使我一面感激，一面更悲傷。一到家中，感激便壓住悲傷，沈到心底；讓感激獨在我臉上支配。此番我服過二劑藥後便起床；陪嫡母尋出些故事講講。

今天嫡母能起床，到我書室，弟弟翻出一本Watts的畫集給嫡母看，嫡母要我講給她聽，這集中共有五十多幅，我順次講每一幅的本事。嫡母最歡喜「使者」「

貧苦走進門來愛情飛出窗外』『慈愛』三幅。弟弟也找出『侍兒』『浮海』『所希望者』『熱望』，是他所愛的，我便拆下送給他；嫡母所喜歡三張中，『慈愛』印刷最精；圖中聖母似的一個仁慈的婦人，抱三個小孩在她的臂彎中。本是很有名望的畫，我以爲可以在畫中，找出世間的母親之愛，便也拆下，裝入鏡架，掛到我嫡母的房中。

昨天晚上從西寺回家，經過母親的墓；眼淚自心坎中湧出，再也忍不住了！一灣清水，環抱鴨舌塢；不斷的嗚嗚咽咽，伴我揮灑枯淚；夕陽自籬落間透入幾絲紅光，尤其顯出日暮途窮！我有時想，將心中藏着的悲哀，到我母親的墓前，或可傾吐乾淨；心中所要說的一齊說出！到今悲哀也吐不乾淨，所要說的一句說不出；但流着眼淚。

Tears, idle tears, I know not what they mean,
Tears from the depth of some divine despire

死人之歎息

Rise in the heart, andl gether to the eyes,
In looking on the happy Autumn fields,
And thing of the days that no more,
眼淚啊，流不盡的眼淚！
我不懂牠甚麼用意，
牠從聖潔的絕望之深處，
冒上心頭會流到眼底；
望歡樂的秋郊，
悵去日之不再。

Tennyson 的詩句，何等眞摯！所謂聖潔的絕望，孩子們失却了慈母，最配得上說。當初我每見人家，或小時的侶伴沒有了母親，總有一種難說的特異的記號，很能引起別人的惻惻，我以爲像我家中的母親，很愛我，決不會離去我，也永不會死的。那知一刹時使輪流到我的身上了。這是受着薄命之神，殘酷的鐵杖後，一條傷痕永不會磨滅的了。

西寺的晚鐘，一句句的送到我的耳朵裏，可惜我沒有 Thomas Gray 的天才，寫出三十多節「哀歌」；當時他在倫敦附近 Stoke page 寺院中寫的，他母親的墓也在那邊，據他的傳中說，自一七四二年至一七五〇年，九年間推敲而成。先給朋友間傳覽，次年二月六日，匿名發表於「雜志之雜志」。我知道與我同情者很多將來當揮淚翻譯出來。

多年不經過海濱的長堤，今天送我的弟弟從弟去考試；而小時候記牢的村子石橋，一一現到我的眼前。長江的流水，猶是從前；村子石橋多無恙，獨我小時候的生命早沒有了；再想到海灘上尋些美好的礫粒，來壓破我的衣袋；或是赤足到蘆塘去，捕幾隻叫哥哥，徐徐蟲，有點不好意思罷。我沿路這樣想，愈想愈難受，而城

死人之歎息

市到了；母校亦赤紅的木牌樓，一見是舊相識；吾的弟弟與從弟，都進大教室去考試；我便與最敬愛的，七八年來從未忘記的，一位老先生邵校長，談了許久。飯後，到監獄去看一位朋友，他因爲文字緣故入監獄；與長髮垢面的罪人，住在木柵間；我從外面看進去，他們好像有點羞愧，有幾個女子，轉身向內；我想你們何必羞愧，何必轉身向內；說不定我們將來也要到木柵中住呢！這時便可領會得羞愧與轉身向內的意味。朋友對我說：「我住到這裏也舒服，而且大廣見聞；許多罪犯，我都和他們接談過；他們爲什麼犯罪，我都明白；官場的臭腐，我親自嘗過；如果我完全講給你聽了，你定要驚駭失色哩。」

回到母校，弟弟從弟已考畢；我們到城西公園去，買了些水果食物，登上望見長江的土阜，一座草亭，比較我從前所見，好得多了！吾們三人，一面嚼東西，一面望望長江入海的急流；田野農夫的種作；長堤上騎兵的來往；這還是從前的一幅舊畫，不過從前沒有鑒賞的眼光，接觸較多，有了一種深刻的印象罷。吾們下山，到湖心亭中坐．湖中的荷花早殘了！却有許多蓮蓬；記得我曾經偷採過蓮蓬的一日，我想尋出一塊木牌寫的「不許動手」，如今沒有 想起從前與我偷採蓮蓬的同學，有一位當小學教員，他將禁人家做壞事了。一位在公署中做文牘，一位還在讀書；在上海時我都碰見過，都很客氣，與偷採蓮蓬時，好像大家都換了一副面目。天色近晚，海風吹來，席捲過去的沒有生氣的囘想，送給我們的涼爽愉快；我們便去找了車夫囘去。

囘來一個月快到了，前因朋友之約，曾力疾到上海一次，便囘來的。如今身體比較已好，要預備東行；在上海未了的事情，這時候去幹；所以今天雨中到吳淞，訪孟龍兄，他也在病中；在他家裏吃過飯，此日晚上，我已在北車站界路華傑兄的樓上，將就寢了，因為明天早車囘去。華傑談此次省會參與選舉的什麼，我無意聽此，也聽不懂。便翻出從沫若處，帶囘來的詩集「女神」來看；華傑的話，我早忘掉了。「女神」出世後，我預料評詩者的觀點所集，如果批評「女神」，我以為先看「三葉集」，更覺親切。

前天從上海回來，又住到吟秋家裏凡二天；昨天與朋友到白沙去搜集舊書，沒有好的東西。從小聞名的陸清獻公祠堂，二黃先生祠堂，荒涼滿目，不過使我發生多少景仰先賢的感與罷了。昨夜大雨，掛在吟秋家裏的衣服漏濕，今天早上便回家；田陌不辨，一片白洋洋的水，赤足回到家裏，碎了足底的皮膚；孤坐室中，翻出新買的小說月報看，午後，我正在草堂前，看一幅「秋霽」的畫圖，葡萄棚的水，還一滴一點的落下！明月溪的午潮，漲得與石橋成平面；石條踊浮水面。地上水沚，反射出微弱的陽光；楊柳梧桐，有意搖顫，我看得出神，弟弟喊我進去，說是親戚來。

靜到我書室；她昨天來過；住伯父家裏，吾們雖是舅與甥，却第一次面會；因為她不常到我家，我自小作客在外；她告訴我的一件事，覺得有記錄的必要；她講她的同鄉柯君，是我的老同學，我只曉得他從南洋中學畢業後，與趙君同赴燕京；

趙君也是我的舊同學，後來趙君考入千葉醫校，柯君因下汽車，跌傷了一足回國的。去年我在東京，他早回國；我聞趙君說，他回國的原因，我很知道；不過外界多謠言，你聽得嗎？我說沒有聽得；趙君說：那我也不必講；爲他嚴守態；總之是青年的煩悶！當時我聽趙君的話，狠奇怪，直到今天靜講了後，才明白的。柯君未到東京以前已結婚過，生過一位女孩子；他在東京，與日本女子發生戀愛；從前所結婚的一位夫人，本小時候定的；機械的他勵的結婚，起初不生問題；他到了東京後，才覺不自然痛苦。與日本女子發生戀愛後，甚至自殺；跌傷一足，便是自殺未遂。靜要我決孰是孰非，我却不敢下斷。如今柯君在家，與夫人反目，並不認他的女兒；已成瘋狂疾，還念東京的情人呢。

回家以來，因病間斷作日記；這些無統系的，糟雜的，病中雜記；也多天不寫。前天又發了一個寒熱，但是東行的日子近了，頗以病爲憂！病中諸多不能如意，又感受許多不快；此時陰曆已到中秋；弟弟自學校歸家，他寄宿到學校，不多時日；中秋放假，與從弟同歸，只是到嫡母前哭出眼淚；嫡母的病沒有完全愈好，聽得撫如已出的次兒的話，也不覺流出淚來，使我裝出歡顏來，去慰藉他們。

明天到上海，行裝都理好，八幡丸的船票朋友也爲我買好了。這是出發的一夜，我坐在嫡母的病牀之側，她對我說：「你此次到東京快須明年此時回國；我身體如此羸弱多病，恐不久於人世了。我要告訴你的：即我一病不起，你不必急急回家。前幾年你的姑母死時，冒雨夜歸，若是這樣，死者必不瞑目，雖死不安，你切切牢記。」這幾句話送到我的耳朵來，我怎樣的傷心，自己也寫不出來。所謂冒雨夜歸，頓時顯現我的眼前。在四年前的端午節，當時我在上海讀書，放假外出，回到校裏，得到父親雙掛號的來信，信角上有些火焦，我知道總有大不了的事情。果然說是姑母病危，趕速回家。我什麼都忘了，衝出校門，跳上電車，到北車站來不及買票，一直上車去補給。到吳淞時，天已晚了，又紛紛地下雨，我沒有帶傘，坐上小車走十多里路，衣服盡濕。到了姑母的家裏，知覺完全失去，涕淚，咳嗽，心悸，相並而發；連呼吸也沒有時間了。但我親愛的姑母已長逝，不及與她作最後的相見。——明天，姑母入棺，我親見她的死顏，她數十年的憂患病苦，一天完結！我但與表兄相抱而哭。

姑母早年寡，中年斷足，銜恨茹苦，撫我表兄，人間痛楚已備嘗了。她本是同里陳起霞孝廉的女弟子，有文學的天才；當我父親幼時，家遭中落，祖父母早棄養，姑母實撫教之。我在小學讀書，寄膳姑母家裏，尤加意扶掖。她最期許我的，與先母一樣要望我成名立業。啊，啊，我先母死後，尚有姑母；其後遠出讀書，回家時必到姑母家。姑母多病，我坐床前，往往述曾祖的爲人及我父親少年的刻苦來勵勗我，我尤覺得愛我之摯。所以一聽得姑母病危，亡命的奔回，再不管雨與夜了。從此我周圍可愛的花朵，一一謝了；留我孤獨者漂泊者。可憐啊！

此行約孟龍同上八幡丸，二十四日出發，我二十日到上海，與從兄汲孫表兄紀勳同住在旅館裏。有幾位朋友須辭行的，也會過了，買的東西，也一齊辦好；這三

死人之歎息

天與初囘上海的時候正彷彿，東奔西走，不忙而忙；但不足爲奇，吾們自小出門的，也算慣了！這時我覺得快些到東京，安心讀書，好比東京是我的家；我的家是暫時寄宿的地方。家中有許多不習的，不相識的父執來了，不相識的親戚來了，這都使我舉止不自然，不比平時與相知的朋友，可以不拘俗禮。所以我想凡人久作客的朋友。比父母兄弟還要親暱；我此次在家，病中不見朋友，最使我孤寂；有許多話，未必盡可對父母兄弟說的，只能對朋友，有朋友安慰，比較父母兄弟的安慰，却靈效得多。

昨夜太晚，不曾去會孟龍；先前說好船上會見，今天黎明，從兄送我上船，只見朱君送我們的兄在甲板上；他說：「孟龍來過，他以爲你不上船了，一個人嫌寂寞，所以囘去了；東西也打囘去了！」說定船上相會，此時深悔昨夜不去會他；朱君又說：「你怎樣，下次行罷！」我說：「我不怕寂寞，一個人也無妨的。」與朱君從兄道別之後，囘到艙中，早上船的睡得正濃；我來太晚，艙中位置擠滿了；還牀二個，貼「日本人室」四字，闖進去住罷，以後再商量。到出發的時候了，他們不來，我便舒服的占了二個位置；從窗洞中望出，浦東吳淞，次第經過；吳淞是我的家鄉，直望到望不見；從手箱中攤出愛讀的書籍去營孤寂的生活！午後拿了一本symons 的詩集，走到甲板上；海天風景，別有感人的地方。

The loneliness of the sea is in my heart,
And the wind is not more lanely than this grey mind
I have thought for thoughts,
I have loved, I have loved and find
Love gone thought weary, and I, als, left behind.

*　*　*　*　*

The loneliness of my heart is in the sea,
And my mind is not more lonely than grey wind

Who shall stay the feet of the sea, or find
The wings of the wind? only the feet of mankind
Grow old in the place of their sorrow,
　　and bitter is the heart
That may not wander as the wind of return as the sea.

沒有一個人與我談話，沒有人接近我；他們有的吹哈謨泥笳；有的帶望遠鏡望海景；我是只管把Symous的詩集翻讀；一篇「海上之風」！引在上面！念了幾十遍，便覺得他的詩的好處；他的經驗，再現到我來，變成我的經驗；他集裏不少海景的詩，有許多不容易在字面上去理解，只能意會而得。我最歡喜他的真摯沈鬱的「哀調」；他以評論出名的，但他詩的位置，在英詩壇上，早與愛爾蘭夏芝相並；他的評論遮蓋他的詩名，猶夏芝的詩名遮蓋評論。

微弱的陽光，漸漸沒入祖國的一方；當「已涼天氣未寒時」。我還戀着這晚景

生涯的一片

，他們都歸艙，我還獨坐着。哈護泥笳的聲音，在艙隙中透出，讓我讀罷了Symons的「海之黃昏」一詩，歸艙去罷。

The sea, a pale blue crystal cup.
With pale water was brinamed up;
And there was seen on either hand,
Liquid sky and shadowy sand.

* * * * *

The loud and bright and buring day
Charred to ashes,ebbed away;
The listening twilight only heard
Water whispering one word.

昨晚風浪稍大，同船的人都嘔吐大作，疑席不安，我更利害　今日還不敢下飯，臉兒火赤，很像舊病復作；便將所帶的痧藥水，飲了二滴，稍覺安神，但不能起身，倚在吊牀亂翻書籍，一本裝訂精美的 Symons詩集，吐了許多米飯，很可惜。此時無意間晤美術學校的陳杰君，我正苦寂寞，便與他閒談，不覺精神爲之一振；他對我說，「你禁在吊牀，一副病容非常美好」；我便教他畫了一張 Sketch ，這是海上之病的紀念；我那邊還有幾種畫集，羅拿阿爾的人物集；勃來克的詩畫集；竹久夢二的詩畫集；大家翻出，看了許多頁數，他同船的朋友很多，去應接別人了。

讀書也沒心緒，看書也沒心緒；只是從圓船中望出一片青黑色的大海；日光浮於海面，時作銀波，天與水相接線，上下莫定，船的傾側也可推測了。海面的日光，時時反射到我眼裏，使我不可逼視；浪的濺沫，從圓洞口濆入；我胸中的思潮，也漫漫湧上，與海同樣的轉側不安。—彼岸—海底—幻影—驚愕—有什麼不可思議，我疑想：我不是人，一個無意識的動物；海水日光來顫動我的感覺，生，死，自然，完全不了解！

前幾次海行，最歡喜夜間無邊際的大空，但裝着一片明月；Wilcox的海與月之詩，還能背誦；今夜不能領略這風光，有疲倦衰病來阻遏我反對我，再沒有法子想了。

兩天來風浪既平，我的感冒也退；今天船到門司，醫生檢驗我的糞便，說是傳染病；又二次診我的脈，又說不是，便許我不入醫院；我大部分的心事從此解消。挾了一本素描簿，畫了幾張遠山帆影，模糊的工廠。幾個同船的人，被醫生強迫上岸入醫院，我對此不得不自慶好運：便與陳杰君將所帶的食物，互相大嚼，興致格外高；大約病魔也有天良的，出門時病愈，到門司時病又愈；都是他的恩賜嗎？

一卷德國近代詩選集，一面嚼食物，一面翻幾章海洋詩讀；在寂寞無聊時，我總以爲有書有畫伴我。還能自慰；海涅的海詩Das Meer 和緩寬漫，最容易感動人家；他詩集中海洋很多，他幼時與父母游於海水，曾見海洋，因此得偉大的感化；

其後在北海濱，觀察漁夫的生活，海之千態萬狀，非常的詩情，因此喚起；他的熱愛大海，由這七節海詩中也可窺見一斑。原詩太長不錄，只將日暮倚窗所朗誦 Dehmel 的「夜前曲」，錄此以破海行的岑寂。

Im groszen Glanz der Abendsonne
Schanerl die See; sacht steigt die Flut.
Im groszen Glany der Abendsonne
Ergreift auch mich die weite Glut.
Im groszen Glany der Abendsonne
Branst immer fenriger mein Blut;
Noch steigt die Flut—
Im groszen Glany der Abendsonne,

在夕陽的餘輝中、

海韻動着，漫漫的汐潮高湧；
在夕陽的餘輝中，
提撥我更大的情熱！
在夕陽的餘輝中，
我的血脈鳴漸強烈！
依舊汐潮高湧——
在夕陽的餘輝中！

Dedmel 爲德國近代詩壇的奇才；他的詩很是技巧的，在這首詩中四用「在夕陽的餘輝中」句；可惜我貧弱的譯詩力，不能狀其萬一。

黎明，陳杰兄推醒我，說是神戶到了，他們都忙的理行裝；此時船行甚緩，我走上甲板看日出，仍是「日光漸出聽烟飛海自橫流山自在」的光景。都會的風，從海岸上吹來，只覺得煩亂；隨即整理了行裝，急待上岸。既上岸便與陳杰兄到市中屋旅館休息良久，幾天來的疲態，實是難堪，飯後仍是靜養，我所視爲畏途的自神戶至東京的夜車，卽由此時出發。

夜間天氣很涼，身上裹着絨毯，身體旣是疲倦，偏不能睡着；倚在窗檻但聽車輪有規則的轆轤聲。陳杰兄有時睡有時醒，與我同感疲憊；每遇車停的站，買一壺茶嚼冷飯牛肉，精神稍振；要是看書，眼又模糊，向同坐的日本人借張報紙看，也沒心思；同坐的日本人，他是茨城縣人，當中學教員的，但他操的言語大約完全是土語，所以我不很懂他；他當我是朝鮮人，我連說幾次中華民國；他茫然，大約他只懂支那兩字，所以我不願與他談話了，報紙隨卽奉還。車到京都站，我便買了汽水兩瓶，水菓糖物多種；沿途嚼沿途吃，以此度長夜。晨曦上窗，便知東京快到了，掀開窗簾，賞田野風景與車行亦行的富士山；此刻反想睡一忽，但已沒有睡的時間，因到京不過三五站哩。

到東京算有三天，昨日從學校囘來，到壽昌處取囘幾種詞曲書，壽昌留我晚飯，我覺得手足冰冷，以爲少穿衣服的緣故，便向王幾道兄借了一件裌衫穿在制服的裏面，仍是不暖，頭部發熱，知非好兆！便辭別步至早稻田終點；約二里路，沒有變動，拉上電車，車中人早滿了，幾無插足的餘地！行至江戶川，眼前已暗，什麼都不見；向窗外一看，稍稍清爽，連忙下車，坐人力車到寓；當夜發了一個寒熱，今天仍在病牀。二年來沒有疾病，自己莫名其妙，這幾月中都生涯於病中的光陰。說是不注意衛生：那也未必，我覺得格外比平日注意些，說是舊病：前也曾服過幾劑湯藥的。如此看來，眞怨無可怨；況此刻比之在家患病，更是加上一層痛苦！

所帶有限的金錢爲讀書的，因此不願意入醫院；自己翻醫書，自己買藥；寓主搬上的食物，都是病人照例忌憚的東西；只好餓了肚子罷。要歡喜東西教他們弄了，可惜月底開帳時的大破產呢。蘋菓生梨嚼嚼，也可過去客中病的生活。今晚寄凡爲我請了一位醫生來，醫生說無須嘗別的藥，明天午前嘗幾粒金雞霜便可起牀。這是仍舊自己的法子，晚餐過後，精神更不鎮靜，熱亦不退。枕邊一卷吳漢槎的秋笳

死人之歎息

集，納蘭飲水詞，朱古微的彊邨詞；翻翻讀讀，總覺沒有多大興致；而且自己存一種責備：翻了中國書，自己便說：你什麼不看英文日文書呢？翻了英文日文書，又自己說：你什麼不去用功德文呢？一直翻外國文書，自己又說：你但知道外國文，自己國裏的名著怎樣不去看看呢？其實這種責備，非常矛盾的；畢竟再翻開秋笳集朗吟，將他流離哀叫，來安慰我的客病纏綿；也可說是得了一個知己。今天雖是不再發熱，但頭部尚未盡涼，所以不能起身，勉強又作了四封復信，已很疲憊；晚間方若來，我請他借幾種消遣的書，他只帶來一本『茵夢湖』，郭沫若錢君胥所譯的。覺得作者輕描淡寫，似乎一點不用力，而讀者感入心脾，眞是不朽的著作。

金樓子裏有幾句話：「翠飾羽而體分；象美牙而身喪；蚌懷珠而致剖；蘭含香而遭焚；膏以明而自煎；桂以蠹而成病。」我將添上一句：人有聰明而自苦；凡物有一長，便有不利，頹廢的原因，大約起於此處嗎？我今日不知道爲什麼作如是想。

「深夜的都會，

空騰疲倦的車聲！」

深夜不得睡，無論什麼聲息，都感徹心髓；病人的神經過敏呢，還是聲息有意觸動病人？窗內的時計聲，窗外斷續的車聲；時計正是健旺的鞭策「時光」，可是車聲却像趦趄不前的哀叫；我知道御車的人馬，與病人同感到不可說的苦痛，不自然的呼吸。

「舉頭望明月，低頭思故鄉。」李白的「靜夜思」如此說。十八世紀英詩人Edward Young 有一首名詩 Night Toughts ，也是「靜夜思」；這詩很長，我們記得幾句，都是我們心頭舌底的話：

The bell strikes one, We take no note of time——

But from its loss: to give it them a tongue

Is wise in man, As if an angel spoke,

I feel the solemn sound, If heard aright,
It is the knell of my departed hours.

他開頭這樣說，何等感人，又況親歷其境的病人呢！最奇異的是夢境：這詩中所描寫的夢境，我也神遊過的。他說：

While o'er my limbs Sleep's soft dominion spreads,
What though my soul fantastic measure trod
O'er fairy fields; or roamed along the gloom
Of pathless woods; or down the craggy steep
Hurled headlong, swam with pain the mentled pool,
Or scaled the cliff, or danced on hollow winds,
With antic shapes, wild natives of the brains.

今天可以起身，弟弟來信，說些功課上的情形，他還不知道我這樣的病苦。將積信覆去，隨翻 Blake 的畫集，其中但丁神曲的插畫居多；我選出所愛的「樂園之門」中數幀，「天國與地獄結婚」中數幀，及「凱因之亡命」「伊凡之創造」「天帝」「入水者」拆下；架於書桌的周圍；破我岑寂。從前讀夏芝的「善惡之觀念」中「勃萊克與他神曲的插畫」一篇；說他也曾畫過上列 Young 的「夜思」詩；今此集找不到，大約未選入的：畫集中夾着一篇由家中帶來的舊作「先母事略」，勉強再讀一篇；入後云：「先母早喪所天，再嫁於家大人，……生前諱言歸甯，嘗私詔小子而言曰：待若既長成名，當偕若歸故鄉一行！嗚呼！豈知小子倘稱借，未及稱名，而母已棄養，天乎痛哉！」我無日不想到，便是無日不流我的淚。

臥病一週，天陰又雨，今日陽光大放，如乎等待我病好；這與某公子在獄中見隙間草芽，而知萬象回春，有何等異點呢！挾了一冊英詩選，在自由神社的後園；讀詩，看紅葉；這是病裏光陰的結束嗎？秋氣既肅，萬感叢生；登小丘一望，不由得叫道：

Home, Country, Brother,
O,My sweet memory!

關西之素描（一九二三）

——四月日記的三之一——

水是眼波橫，
山是眉峯聚；
欲問行人去那邊？
眉眼盈盈處。

——蘇軾卜算子

二日——念念不忘的想旅行到京都一帶，果然今天出發；從窮迫的旅費中，抽出五分之一添買書籍二三種，以備旅中翻讀。沒有多大的行裝，祇備了一件柳條的提箱，衣服與愛讀的書籍，此外一本日記一枝鉛筆一本 Sketch Book 一枝作畫的 conte 都裝置在這裏，便算摒擋齊了。

東京站燈火輝煌，足聲嘈沸，我在待合室 Waiting Room 等八時半出發的一座車。室中男男女女都帶着行李，有的和同伴說長說短，有的和我一樣的隻身無語。

「滕君你到那兒去？」

「我到京都，你呢？」

「也到京都，你有什麼貴幹？」

「沒有事旅行去，你呢？」

「我到京都帝大參加醫學研究會，恰好同行，中途不會寂寞的了。」

「你也八時半車出發嗎，坐第幾等車？」

「是的，八時半，我是坐二等車。」

「那便不能同行了，我是坐三等車。」

壁上的時計，快要到出發的時候了；我與慶應大學醫科學生鄭若談話之後，便分道上車。

最後的鐘聲響後，車輪徐徐的動了；送行者紛紛下車，我便得一個空位坐下；並肩坐的一位少婦，少婦的對面一位老婦，從她們的稱呼裡聽出她們是母女倆；我的對面與老婦並肩的，是一位中年商人；我們敍了幾句應酬話，各自靜着，只聽得鄰位的笑說聲。車輪的旋轉聲。

我向少婦借了一份報紙，看過後，一望車中人，有一半垂頭斜靠的睡了；還沒睡覺的幾位，話聲也很細微，我眞羨慕他們，我趁過多次的夜車，無論如何總睡不着的。便從提箱裡翻出一本 Sketch Book 一枝畫筆，放在座次，一本夏芝的「秘密的薔薇」，The Secret Rose ，翻看了二篇短的，再沒有心緒了；也不願看別的書籍，只呆望車中人的睡態，各有各個的姿勢；其中似乎有很多的資料，供我思索呀。

「他們也做夢呢？

他們在怎樣的夢境裏遊蕩！」

我的昏亂的腦髓，禁不住起這一種空想，自己覺得好笑；但是我看那睡態，越看越顯出他們的美，無論他們帽兒歪，衣襟斜，頭髮鬆亂，嘴吧裏垂涎欲滴；在我眼中看出，都是美態，自然的美態；使我發生不可思議的快感，機會不可失，他們醒時斷沒這種狀態來給我看的。

黃黑色的髮披她的眼際，
她倒在白綾的小枕上睡着！
異國的少女啊！她不曾知道
一個未成熟的畫師，
畫了她的 Figurse。

我解開 Sketch Book ，將離我四五坐位的少女，鈎了她的睡態，又畫了幾個小孩老人；未睡的二三人，都聚到我那邊看畫，同樣的感到不睡，他們似乎很羨慕我有這種消遣的伎倆。

車到沼津，夜已深了；我食了辨當牛乳，很希望睡一忽兒，總是不能從我意，靜靜的休息罷。

。　。　。

三日——黎明揭開車窗，送進了野外的空氣，我的神經漂洗了一下，頓時覺得涼爽適意，却比較含人丹的效力還大。同坐與對面的三人，早已下車了；我一個人佔了二人的坐位，更覺得舒暢；洗漱既畢，靠窗望野外的景色，車中人也醒了，整理行裝，有一人揚着小旗，招呼掛徽章的男男女女；大約他們一地方的人，組織了團體，參觀東京平和博覽會而回去的呢。

遠處的山光林木，映着朝曙，濃淡入宜；路燈還沒有熄，輝耀薄明，他們似乎有種悲哀，東方發了白，便失掉了牠們的立足地；牠們戀着幾處的茅屋，無非留眞蘆居識；車行快，沿途的電杆紀程石，過了一處又是一處；來是升去是降，一升一降過了無數的升降；我才想到時間的過去也是這樣的，人生的漂浪也是這樣的；剎那間不可捉摸的呀。

京都站到了，木屐聲小販聲幾乎塞住了我的耳鼓；我提了小箱下車，到待合室中稍坐。先時曾約朱小虬兄到車站來接我，並不見他的踪跡；便離去車站，趁上電車，自尋他的寓所。至出町下車，過鴨川橋，橋下水流湍激，潺潺作響，山色誘人，市聲恬謐，這是我到京都的第一個印象；問了二次訊，小虬的寓所找到了。

「朱君在家嗎？」

「他出門了，到車站去候朋友的。」

「他去候朋友的嗎？那就是我！」

「先生就是東京來的滕君嗎？」

「是的。」

「請進來！」

寓主是中年的婦人，引導我上樓，到小虬的一室，跪下叩頭，道了幾句酬應話；寓主下樓，鄰室裏來一位和服的少年，我以爲他是日本人，用日本語談了幾句；他問我貴省，我便知他是山西人，小虬的同學；此後有一位同鄉的翁君來訪小虬，又談了好久，小虬才回來，同到東成館午膳。

昨夜一夜未睡，今天感到疲憊與無力，無意於山水的跋涉。回寓後，同鄉孫君浙江笠君來訪，他們談京都的種種，我是談東京的種種。寫了幾封信後，天晚了，我們從帝大的一帶散步，風聲水聲，那種自然的音樂，觸耳皆是；我尤其愛聽寺院裏嬝嬝不絕的鐘聲。

京都的市內的街道，很淸冷的；屋宇素朴，很有半村兼半廓的雅致，遠不像東京市內的車馬喧騰；這是我住的上京區吉田山附近，別處雖然也有車有馬，也喧鬧適入的，不過中繁處的一帶罷；我很自怨不到京都來讀書，受領些山水的清趣。

• • •

四日——

薄霧籠罩了西南諸峯，
淚汪汪的輕浮輕湧；
聽！那兒來的顫音，
古銀杏的悲鳴。

清早與小虬登吉田山，山不很高的，實是一座土阜；但是望那林巒尤美的西南諸峯，非常適宜；都會的屋宇比接，也歷歷在目，這時我比諸登虎邱山。我們坐在石上，我和盤托出的從五年前登虎邱山以後的已死的生活，一齊講出；小虬嘆了一聲，我禁不住胸中沸熱的液質，升騰而起了。山色樹聲，如乎替我分擔了幾許的憂鬱。

一位少婦在這裏迷了路，我們也不好意思留在這裏，相對欷歔！便送她下山，也囘寓罷！一路迎面的春風，吹得我心魂都碎：我默默的念着Todhunter的小歌。

唉，風啊！唉！堅強的憂鬱的風啊！

吹呀，吹向我；

你吹送那從前忘却的事情

到我的心頭。

午後往太極殿，不消說是一唉帝王的流風餘韻；這時候櫻花正盛，游人踵接踵的在殿的左方的一處精雅的林園中盤旋；我與小虬坐在小洲的石上静歇，我帶的一本Sketch Book，沒有好的題材供給我：只將禁止通行——皇太子專有品——的一頂橋亭，架在池上；池水不波，也倒映着一頂橋亭畫了。

沿池邊去，不問到什麼地方，只管跟着別的游人行；一條小路，兩邊夾着長松古柏，地上鋪了一重苔氈；穿過了小路，有魚池，我們也買了餅餌，跟着遊人去勾引鯉魚，看牠們爭那微乎其微的食品。

這是殿的右方了，有幾顆倒枝的櫻花，據說很著名的，怪道許多的遊人，都圍繞在這裏鑑賞牠呢。

出太極殿不多路，有一所商品陳列所；我們到第二層樓，陳列日本人收藏的中國明代的絲織品，唐代的造像，和多種古代的文房具。我很慚愧，那些東西在本國人手裏，當是破貨不值錢的；落了日本人的手，便稱希世之寶了！使本國藝術的思慕者，發生無限的失望。

我們從品商陳列所出來，到動物院；櫻花雖是盛，我們到是看厭了；而那成羣結隊的遊人們，也並不是真的看花，真的看珍禽異獸，不過是湊熱鬧罷；日本人看花節的擬興，有如我國的春賽節；萬人空巷，給櫻花的冷笑，珍禽異獸的揶揄。

我們尋些人跡稀少的地方，可說沒有；穿過院中的諸勝，碰到一條石澗二個女孩子蹲在澗邊，弄澗水的急流；我便畫了一張素描。過石澗的那邊，稍稍清靜；坐露天椅上，望一山洞由琵琶湖通來的水，怒氣鬱勃的衝入濠溝，亢聲的呼號着。

天晚了，我們到常盤堂，喫過了晚餐回寓；朋友們教我寫些小幅貼壁用的；我便胡亂寫了篆不篆隸不隸的字，取笑了一陣。

。　。　。

五日——訪伯奇沒有會到，天氣陰濕，懷有下雨的胎孕。回到寓裏，隨取水雲樓詞和飲水詞朗吟一下；覺得有幾點很能動人的。

午後天氣清了，與小虬步往圓山公園，也是櫻花的名所；車馬相接，游人不減動物院與太極殿；我們坐在草地上，望人來人去的看花忙；我解開畫冊，取了二處的題材，都沒畫成；便買了一包甘納豆，沿路走沿路嚼，到一座涼亭裏歇息。

人聲喧擾的地方，我最是厭惱；偏偏涼亭的四週，送來多少喧擾的聲音：我們上山，同行的四位少女，她們的足力比我們強，攀登山逕非常捷速；到了半山，山石罅裂而成澗，澗上架了一頂石橋，叫做「三溪橋」：我們坐石欄上靜看。

三溪橋下的澗水，
逼尖的叫着；
唉，這是像她唱過的調子！

這地方最清靜的了，橋的右方山逕和松柏，左方一片墓場，裝滿了大的小的墓碑；墓場的彼方，靠山有一小寺院。

水的聲音，鳥的聲音，牠們破了我們的岑寂，清脆的微弱的告訴我們，春不在櫻花樹底，留春在山的深處呀！有幾輩游人了解這鳥聲水聲，祇有長青的松柏，消受那深山的春。

下了山坐在淺碧池邊的石上，遠望亭中人的背影，畫了一張素描，出山的時候，草地的小樹上，攀登了一個孩子；看他的神色，似乎很誇示冒險的成功，便也畫了他一下。

我們又到音羽山了，這裏有一所清水寺，也是京都有數的大寺；寺的本堂靠山而築；非常宏麗。我以爲帝王的藝術宗教的藝術，這種藝術美姑且叫他威權——教權帝權——的美，無論東方西方的藝術史上，都佔了很重大的位置。

我們在清水寺的南園一帶，漫步往復，有落英繽紛的櫻花，有高入雲表的蒼松。游人連一連二的上仁王門，到本堂去參拜；我們避在南園的僻處，由斜狹的山道，曲折而下、到一涸谿；老樹的根，裂土而出，我們便坐下，聽山外的喧擾聲山間的瀑布聲。

出山至本坊庭園，山均水涯，都有僧侶的墓碑；橋亭倒映入池，也很幽靜；我們環行了一週，便出原路回去。

晚間在東成館晚飯，碰見伯奇兄，便跟到他的寓處閒談；借了學藝二冊，少年中國一冊，海涅詩集譯本一冊而歸。

○　○　○

六日——天陰不敢出門，靠在旅舍的窗欄上，望迷離的遠景，消去我好游的渴疾：好涼快呀，一陣淋漓的雨來了，我正想起 George Gissing 的 The Private papers of Henry Ryecropt 我要環廻誦他的「春」的1卷。

雨漸漸的小了，水道的急流，如繁絃急管，伴着我看書伴着我寫信，實在我無意看書寫信，很喜歡聽水流的急調。

孫君竺君來寓閒談，明天登比叡山之約，天不利我們，就此作罷。

七日——天雨往帝大圖書館裏；我借了一部書 Lubke 的 Outlinns of the History of Art 這書圖很精緻，我就古代方面，平日聽講所懷疑的數處，考查一過錄在另一筆記簿上。

這裏中國版的書也不少，因時間的關係，只借到「國學叢刊」第一册，讀了王國維的「古劇脚色考」。又借了一部杜文瀾的「古謠諺」，曼陀羅華閣刻本凡一百卷；古來的謠諺散見在別的書上，他都搜集了；從前的文學者不很注意的，他居然上自經史下至通志雜記中，苦心的搜索，成一巨製，雖然不載典籍的無名歌謠，未免脫漏了；我們總該佩服他的。他有「萬氏詞律校勘記」「采香詞」，四五年前也曾翻看過的，所以我很聞名的。

午後與伯奇訪沈君，不曾晤到，便同到我寓，作瑣屑的談話；隨後將海涅詩的原文譯文，對讀了一二首；我們談到詩是不可譯的東西，譯詩如同創作。

東成館晚飯後，與伯奇別；張君引導我游御所，這是從前的禁城。

微雨初霽，晚晴的山色，更加了一層的明媚；山水下流，會成鴨川的大澤，狂呼活躍作不平鳴。

青山之眼，

她看出了，她看出了，

我的更深的憂鬱。

我們過鴨川的長橋，到御所；地甚寬廣，平鋪的草地，浴了細雨的恩典，更顯得濃潤；我們從灰褐色的大道上曲折穿過去。

遠處的游人，不像徒步行走，好像螞蟻的蠕動　樹木房屋，比我們還矮幾倍；
一幅很好的透視畫，可惜我不曾帶畫册。

異樣的涼爽，送我們回寓了；我將借來的雜誌讀了幾篇論文；讀到「少年中國」上劉所德譯 Aliace 女子的「從奧國監獄寄出來的信」一篇，很爲她感動！

。　。　。

八日——天陰，在寓中讀了夏芝「祕密之薔薇」中的 Out of Rose 一篇；這是一段老騎士爲農人而鬥死的故事，也是愛爾蘭的傳說；經他溶解了一下，我由是看出這一篇裏帶人道主義的一點，隨後又將海涅的「新詩集」中的「小史詩」Romanzen 朗讀，毛髮爲顫　我把春祭一首譯了。

這是春之痛苦的快感！
蠻橫成羣花樣的女兒們，
哀號而赤裸了胸

死人之歎息

蓬了髮衝到那邊。

「錏銅尼司！錏銅尼司」

夜幕沈了，近松炬的光鋩，

探望森林的四方；

哭聲笑聲悲咽聲驚呼聲

——那苦擾的回聲！

「錏銅尼司！錏銅尼司！」

少年之顏異樣的美好，

橫在地上青灰的死了，

血染了花成紅，

長嘆息充大空。

「錏銅尼司！錏銅尼司！」

幾天來的經驗，只是看別人家的春遊之興；混在遊人的隊裏，東也東西也西；我所賞鑑的春光，不是別人家所賞鑑的；別人家所賞鑑的春光，不是我所賞鑑的；但春光早去了，閉了眼兒一想，拋去海涅的詩集，再不忍讀春之悲調。

午後細雨中，與笠君及小虬，再遊圓山公園；櫻花的浴了細雨的微溫濕、顏色淡褪了，遊人也減少，未免充了些淒寂的空氣。

我們在池亭略坐了一歇，回到三條的丸善支店去翻書；笠君與小虬買了幾冊學校用的參考書；我也買了一冊George Moore的Confessions of a Young Man「一少年的懺悔」回去；當作旅行京都的紀念。

回寓時，遇孫君，借了一本法文字典；回寓後，燈下讀去了六十多頁；這是他少年的自敍傳；他到巴黎學畫，前後的生活，在這六十多頁的四章中，也可略見端倪了。

九日——朋友們來訪我，我便拋棄「一少年的懺悔」，和他們閒談；大家出心出計的打算消遣今天的好天氣。

正午會集於常盤堂，翁君竺君孫君張君及小虬，以外便是我，六個人坐上到嵐山的郊外電車；嵐山既是京都櫻花的名所，又是紅葉的名所，實佔領了春秋的美景。

黃金色的太陽，照在冷落的市梢；茶店果物店，陳舊的招牌，漸漸的少見了；電桿靜靜的站着，青的草阜，綠的竹林，黃的茅屋，紅的寺院，遠近都屏息不出聲。充塞了遊人的電車，獨在靜寂的曠野中橫行；大施其狂暴的威權，驚動柔順的「自然」。

不曾相約的同車人，到了嵐山，大家都下車了；我們湊入衆游人入山，夾道都是臨時的旅館，咖啡店，茶館，果品店。

過渡月橋，橋甚長，望對岸的樹木，櫻花，青草，都達到成熟期了；發出一種無名的情慾，挑撥遊人們；使遊人如醉如痴，在山道上狂歡奔走，在水面上擊揖呼號，這是何等不可思議啊。

左折過轟橋，上石級，到了一所寺院；我們分坐石上，注視幾位舞姬，髮髻高堆，長衣抹地，很像仇十洲畫裏的人物；她們在那裏參拜，目不斜視，輕輕的下山。

「喂，你呆了，下山去罷！」同遊者喊我說，

「她們的姿態……」我想翻書簿，她們走遠了；我們也從蜿蜒的山道上，曲折下去。

從大堰川的岸上望渡月橋，橋的欄架，成了格子條紋的一幅圖案。

大堰川的平波，染上了白銀色，畫船參差來往，輕輕的飛着雙槳；銀絲似的水紋，旋螺似的由小而大。船中人的有吹哈謨尼笳，有的唱幽揚的戀歌，水面上蕩漾了一層沈重的狂熱。

我們也僱了一隻小船，浮在大堰川的中流。兩岸的遊人，似乎失掉了寶石，東西張望，來來去去，在那兒不住的忙碌。山色青紅相間，像一個惡魔的頭，衝冠髮裏流了許多血；幾多遊人在踐踏牠。

水面的風，吹得涼爽，小舟漫行到千鳥淵了！陽光爲山峯遮蔽，暗碧而帶陰深；山麓的白石，光潤如玩物；漸行漸狹，兩岸的楊柳，交叉出了水上的門；山洞的彼方，豁然開朗，水淺了，亂石直衝出水面之上；我們不能入山洞、求那邊的桃花源，這是很可惜的。

千鳥淵的靜僻處，稍稍休息，時間快到了，便回到渡頭上岸。在櫻花的林中，張君爲我們五人攝了一個紀念影；沿大堰川的沙汀過去，坐在木筏上，望渡月橋上的歸客，橋的欄干裏，高插無數的洋傘。

我們從沙汀上山，穿了好多處松林中的曲徑；路傍醉臥的遊人，大有「不知世上幾千年」的用意。我們登到山頂了，靠欄一望，下面就是千鳥淵；二三小船，比鳧鴨都尤小；遠處山光，更淡得恰到好處。

我登嵐山最高巔，
下有九淵上九天；
九天不可攀，
長歌何局促！
九淵倂一躍，
滌我平生之汚濁！

突然的來了一重恐怖，生的苦悶，佔領了我的胸次；萬丈深的千鳥淵裏，似乎反映了我那瘦損的面貌，顫動的嘴唇，充血的眼兒，對着自然惶悚而不安。

時間不早了，我們下山，望歸路一方去；趁上電車，不約而會的歸客又充滿了。車行了半路，由窗外回頭望嵐山，夕陽沒在山的那邊，一道紅光，透出山頂；幾多遊人的狂熱，葬在那邊，還發出那些餘炙，來煽動我個冷血人。

歸京內，近七時了。

十日——上午往帝大圖書館，讀借 Lubke 的「美術史大綱」；翻看札記。午後孫竺二君來訪，便同往太極殿，動物院，圓山公園；不過環行一過，無可記述。竺君於圓山公園碰見一位舊友，便離我們而去，我和孫君緩步回去，近來動物院有夜櫻，孫君以爲我回東京後，再沒有游樂的時間；夜櫻的機會不可失！便同往動物院，時已五點半了，院門前早有紅光可望見的。

臨時的電綫，綴滿了園中；燈火煌煌；櫻樹的枝上，又掛了許多鐵筐，燒的松炬；光焰四射，和白晝一樣。我們坐在石上，聽得歌聲高談聲，小兒的哭聲，猛獸的呼聲，鳥聲水聲；聲浪的嘈雜，莫過於此了。不但沒有櫻花的香氣，而松炬的烟煤氣，獸類的腥臭，到是咄咄逼人。神經質的游人們，你們什麼地方有可取樂的啊！什麼地方有可賞玩的啊！

不可久留了，便餓了肚子回去；幸而常盤堂沒有關門，兩人吃了些冷飯，分道回寓。

。　。　。

十一日——醒過來，窗上不很光亮，只遮了一層暗霧，我以爲還早；九點鐘敲了；我以爲還不到七時呢；昨天太疲乏了！

推開了窗，迎接了滿面的濕氣；我的不快之感，便也爽利的升起來了；這樣如烟如霧的雨天，上奈良的計劃，想來又是一場空夢的了。

愛讀的「一少年的懺悔」，不上二十頁拋去了；愛讀的「秘密之薔薇」，勉強念完了一篇 The Wisdon of the King, ，也拋卷了；什麼一種不快之感纏擾我，使我心焦；是非爲了今天學校裏開學了。我不能早回東京去，是捨不掉奈良；若是奈良遊遍，有什麼心焦，但是缺二三天課，也不是大不了的事情，那末這種不快之感，自己也了解不來。

午後訪沈登煇君，在他的寓閒談了好久；天氣忽而放晴，東山上夕陽的反照，在沈君寓舍的窗上，帶點憂鬱中的歡喜，不由得解了我滿腔的心事。

晚間孫竺二君來訪，各各談了些過去的經歷，過去的Romance，慨嘆歔欷，無非灑些清淚來，憑弔灰色的，單調的，已死的生涯。但是現在的生活，不見得更新到怎樣田地呀。

。　。　。

十二日——清朝裏趕到京都站，八時發的奈良車已行了；在待車室裏，一個人冷清清地坐上沙發，展開幾天來所畫的畫册，覺得還有趣味，室外的木屐聲喧擾到極點，而九時的奈良車快要開發了，便也上車。

從車窗裏望窗外的遠山，總不會厭惡的；山色時時變出花樣來引誘我，一天有一天的新裝束；淡青色浮在遠處的崗巒，由淡而深染到近處的崗巒；在這陰晴兼半的天氣裏，尤見得沈默有儀，令人虔敬她們那種大家風度。我解開畫册，畫了些山景，隨便用手指一撚，不料黑色的一枝Conte，也會分出倪雲林水墨的五色，我何等的驚喜。

長橋下一片湖水，車聲隆隆的浮水面而行；橫流的湖水與車行，成十字形的過去；暗示的十字形，愈行愈大。聽說奈良到了，還在十時半光景。

遊奈良的人也不少，今天我沒有伴侶，下了車便跟着衆遊人，由廣道上右折而行；到一所著名的東大寺，——奈良也是日本的古都，他們稱做文化的發祥地，比較京都還古，在日本的歷史上美術史宗教史上都佔了極大的位置，他們又稱做南都的，又美其名曰聖地的。——寺的建築很壯麗，入大佛殿，有一座大佛，與鎌倉的大佛匹比；都稱做國寶的。

出東大寺，穿過公園，到春日神社；路旁排列着石鑿的同一式樣的「永夜長明燈，」足有二三里路長。神社靠山麓，沿山路而行，沒有別的遊人，我獨自在陰濕的僻處；山上的林木幾乎把天都遮暗；山溪的急流，發出亂石壓迫牠的叫聲，微風和上，成了雙調的音樂；我在這裏穿不出，似乎山林的神有意使我失路；恐怖的心情，微微的顫動了。

二三個役夫，從那條路裏來，我便從那條路上去；小的街道碰到了，廢了的都，充布滿了冷落與荒蕪的空氣；街道很狹小，石砌失修，崎嶇不便行路；房屋也破舊，有古都的資格。又像我寶山城的街道，異國異鄉，認了故鄉也罷。

兜過街道，已在公園的南境了；猿澤池的一碧平波，反映了對岸興福寺的五重塔。稀少的遊人，在池中打槳，雅人深致，不像大堰川中那樣的雜亂了。可惜我一個人，坐船也乏味，至長橋的中央，入湖心亭；靠在亭欄上，池水澄清，照澈了我的漂泊者的憔悴之容；我隨便拾了瓜皮，輕擲池中，丁東的一響，她酬報我無數的微笑。她因爲我沒有伴侶，故意安慰我也未可知。

過橋休息於林中的石上，大鹿稚鹿，成羣的在那裏來往；遊人都將餅餌給牠們，牠們也鞠躬致謝；三笠山的遊鹿，本是奈良著名的。在就近的食店裏吃了便當之後；買了水果，仍坐在石上且啖且粲；這是遊人慣有的放浪生活，不足爲奇的。

商品陳列所中，略略參觀了一下，又到冰室神社，在涼池的周圍散步着；池水深紅如血．枯枝落葉點綴在水面上。忽然想到久聞大名的博物館，便去參觀。

博物館分十三室，其中平安時代，藤原時代，鎌倉時代，三期的佛像佔了十分之六：其他古寺中所藏的器物。日本人研究本國的史蹟，都要到這裏瞻坐的；每一件東西，詳致說明，一方面預備外國人看，譯成英文；而且都加上「國寶」二個字。我們中國的國寶，國人沒有識得，所以不當國寶的；他們古寺的牌額，也是國寶，也陳列博物館，也有許多考古家定爲某朝的遺物。若是在中國，早當柴燒了；我看了，我細細的想去，背上的汗，不住的流下了。

此外有許多狂言的假面具，（按狂言 Kyogen 日本古代俳優的一派；中世附屬鄉臺戲，安慰農民的；現在成了喜劇。）都帶肅殺之氣；這是日本殘忍的國民性的背影。還有許多古刀，他們按照時代陳列，認爲無上的國寶；日本刀在我國也很聞名的，記得曾國藩的門下士，李眉生的「蘇鄰遺詩」中，滬上雜詩裏有一首很好的詩，至今還能背誦。

晉有干將楚太阿，
後先爭霸究如何？
莊生說劍仁無敵，
寄語扶桑東海倭！

這是他見了日本刀後所作；他用歷史的眼光，勸告日本人平和，不要野心勃勃；可惜日本人不曾夢想到呢。

由博物館出來，仍在公園中散步；漸到公園的邊隅，入一涸壑，二三個孩子在那裏玩；因爲很僻靜，我便在樹根上坐了一歇。從荒路上走出去，是天神神社；一個畫師在那邊畫一座破屋垣頹；他裝了畫架，調了色彩，一心一意的畫；我在他的傍邊看了有一刻鐘，畫趣也起了；便在別一邊，也畫了一所破屋頹垣的速寫。

過猿澤池的大堤，入南圓堂；他們稱做八角寶珠形的建築，也是一所佛殿；隨後買了紀念郵片四組，金屬小佛像二尊；歸到車站已五時了。

上車後，展閱郵片認所游處；幸而奈良勝地的大半，都經過了我的遊跡。是夜歸京都，預備明天返東京。

十三日——早上與伯奇至咖啡館啜茶後，同到東山近田舍的一方，天陰晦細雨，田間黃金色的菜花，抹上了銅銹，光澤大減。小河裏的流水，變成深藍，幾個姑娘赤手赤足的在那裏浣染織物；一種急流與浣紗的音節，非常合拍。

我們談了些故鄉風景，觸動了多少飄流的感慨；行行且止的長嘆！又談了些近來大阪新聞上，載的中國非宗教運動；他們誤會得很遠，這些地方日本不了解中國，也許他們別有用意。

穿過市梢，經鴨川的長橋，到下鴨神社；今天算我在京都最後的一天，我再三的聽賞鴨川的水聲，她在那邊唱青春之歌，逼緊了喉嚨，一刻不停的唱着；最是使我戀戀不捨的。伯奇問我有詩乎？我說地方太好，寫不出詩來形容呢！

死人之歎息

神社的外面，古木夾道，我們在這裏盤旋了好久；便同到我寓裏，當做別時的歡敍。

午後孫君送來嵐山所攝的紀念影；又談了多時，因爲急於回去，不能到別的朋友處辭別，很是抱歉的。孫君與小虬送我到停留場；我便拉上電車，到車站，趕上四時出發的一輛車。

細雨加濃了，玻璃的車窗，刷上了一重濕氣；宛然用毛玻璃裝置的。電燈一亮，車中的坐客，各各整了衣冠，檢了行裝安坐。車外的薄暗，包圍了車中祕密的朋熱：空氣滯重，呼吸不靈，坐客的眼兒現出腥紅色灼灼的對視；我吁了一口聲。

半透明的車窗外一望；遠處的路燈，也爲濕氣籠罩了，朦朧的光，如醉如睡；也不曉得車的是進是退；只疑在海底周遊，房屋林木，無非海底的東西。

吃了便當，鎮靜多時；翻出一卷飲水詞，默誦了一回。想作畫，沒有材料可取；深夜不能睡，十二時以前的時間，消磨於默誦納蘭的飲水詞，蔣鹿澤的水雲樓詞，鄉先生蔣劍人的芬陀利室詞中所記熟的。

秋祭

——呈亡母的靈前——

一　孩子的呼聲

惡魔！
睜出了充血的眼兒，
托出了粗暴的手腕；
霸在人生旅路的前面。
他留下了幾多的弱者，
供他豪奢的吞噬；
他這們的健啖，

死人之歎息

從沒滿足他的饑荒。
母親，你也是被噬者之一，
空賸那白骨一堆，
埋在草莽的深處；
你的靈魂附在我的夢境裏，
可憐你的兒子——我啊——
也被囚在惡魔的窖窟裏，
祇有奄奄一息地呻吟。

* * *

流水緊抱住鴨舌塢，
幽幽嚶嚶地悲咽，
豐草滿蓋着瓦封塚，

秋祭

呼呼忽忽地嘆息。
啊！西寺的晚鐘，
嚴肅而堂皇的響了！
惡魔出現的警告嗎？
人生末日的咒咀嗎？
被囚着的我啊！
那有Gray的天才。
草的輕風，水的微波；
就算牠千古的哀歌。

——哀歌之一節——

今年的秋天，正是我母親長眠在地下的第六年；飄流在異國的兒子，第二次回到故鄉，再拜告「無恙」於母親的墓前。

死人之歎息

「哀哀父母，生我劬勞！」母親，我為了這個緣故而想念你嗎？不是，我還沒有聾還沒有盲，決不因此而想念你的。我一見了紅的顏色，每聯想你病時嘔出的盈斗盈盆的血；我一聽了黎明的梵鐘，每聯想到你死時的音樂。這些顏色時時渲染我的眼前，這些聲音時時繚繞我的耳際；我那得不想念你呢！

我飄流在異國，逢到了良辰美景，總要踱到野外去散悶。走近了墓場，好像有人絆着我的足，再也不能前進了。呆呆的望着謁墓者聯翩而來，認了碑石，致花圈於墓前，禮拜而去。我於是把我臉兒，埋在一雙手掌裏想：祗有我母親的墓，孤冷冷地站在故鄉的鴨舌塢上，蔓草荒荊重重的包圍着，誰去致花圈，誰去禮拜；我放下手來，兩眼的淚泉噴湧而出了。

如今我站在母親的墓前，也只有兩眼的淚。母親，我要告訴你說，你的兒子大了，「無恙」呢我不好意思講；幸福拋在我的後面，荊棘橫在我的前路；今天在故鄉，明天在異域；一足掉在深淵，一手攀住津梁，進又不得，退又不得，黝黑籠罩在我的頂上，惡魔圍在我的周身。在這人生荊棘的路上未脫身以前，我總不能安慰你在天之靈；我更不承認Magna est veritas, et praevalebit. (眞理萬能終必泰凱的古訓)。

人家說：知父母莫若子女！我母親三十三歲的短生涯，前十七年的生涯，我一點不知道；只是聽得人家說：我母親通州的人，是一位年輕的寡婦；在這一年——十七歲——我父親遊通州，再嫁給我父親做副室；她姓劉，或者是前夫的姓，也不知道。過了一年生我，所以她後十七年的生涯，隱隱約約刻在我的腦裏。她縱有勤以操作儉以自給的賢德；有知書識字諳熟女紅的才能；但她小心地孝敬我嫡母，嫡母總不諒解他，時時委曲她的。她小心地厚待鄰里，鄰里指着她鄙夷地說：這是某人的副室，指着她所親生的兒子說：這是某人的庶出子。一切苛刻的待遇，輪到她的身上，她總是逆來順受；她隱忍着多少委曲，也深知我父親的性格，從沒對他提起。咫尺天涯的故鄉，只是可望而不可歸；獨自避在暗室中吞聲飲泣。到了忍無可忍的地位，告訴我仁慈的伯母或是姑母，她們總是勸她看兒的面上；除了她兒子之外，沒有一個親近她的人。可惜她的兒子，——我呢——渾渾噩噩還沒知道呢。

一年年的度這惡魔窟裏的生涯，她等待着我而隱忍。少小離家的我，在六年前聽得她病了；倉皇歸家，伏在她的病牀前，她沒有話對我說了；望着我嘔了盈斗盈盆的熱血而長逝了。天啊！天啊！我還沒嘗得人生的滋味，惡魔迫不及待，便把我親愛的母親吞下了。

母親！我記得第一次離你膝下，寄宿到遠隔十餘里的城中的高小時候；我還牽着你的衣角哭呢！你默默地也流下些淚，撫了我頭顱說：我的兒，你這回子出門讀書別怕呀！從此以後，阿母望你將來成名立業；這時候阿母所受的委曲，也可伸一伸了；阿母日夜夢想的故鄉，也可歸省一次了。我聽了這些話，如同冷水投懷；一看周圍都是惡魔之陣，紛紛地佈滿着。我纔明白母親有待於我，不惜吞嚥飲恨任惡魔們簸弄。人生非金石，安能長壽考；我母親尤其是弱者，竟積鬱致病，違背了願望而去了。母親，我看到你臨終的死顏，不曾瞑目的；恐怕在地下還有待於我能！

離你沈痾的教訓有十年了。母親，我要告訴你說：你最憐惜的聰明的妹妹，也大了；有天才的大弟早殤，想跟在你的膝下，你也可稍稍自慰；二弟的天資比我強數倍，快在高小畢業了。我呢，縱有崢嶸的頭角，縱是不蹈蹐於鄉里；可是被惡魔的脅迫太深了，東飄西泊，依舊放浪着。想到你望我成名立業，我恨不得引刀自裁；惡魔在我的前面作獰笑有時還狐媚着我。通州地方不大，但何處是你的故鄉！我終天的抱恨，莫過於此了。嫡母婉順的待我們弟妹三人有如己出；我們一面感激她，一面尤想到你的苦難。我們三人青春的奢望，斂抑到沒有了；這暑期中同時回到家裏，各有難言的隱痛。放懷於詩酒的父親，怎知道我們母子間的悲哀；弟妹們只知道無母的痛苦，也不會諒解哥哥的心事。

我與弟姊們見面了，我深深地想到母親為了我們流了無盡藏的血。無盡藏的淚；如某物理學家所說：母親為了兒子流的眼淚，若是分折起來，也不過水分與鹽分；那知道還有不可分析的最珍貴的「愛」的成分呢。

今天——夏歷七月十五日——按照鄉土與家族的舊例，舉行「秋祭」；我跪到母親的靈前，神聖的莊嚴的母親之愛，母親眞理之愛的教訓，覺得還在我的前面。我有怎樣的面目見她呢？灑盡了悔恨的眼淚，突然從天而下，好像有個殺星降到我的身上。我抬起頭來，惡魔們還鬼鬼祟祟地伺候在我的周圍；這時我一看見他們，眞像沛公會項王於鴻門時候，樊噲目視項王，頭髮上指目眥盡裂。我忍住大聲而呼道：惡魔們啊！你們盡量在白天裏橫行無忌，殺星降到我的身上了，我信有Magna est veritas et Praevalebit，我拚着我殘喘中含的生命力，與你們血戰；我要學張獻忠蘸了你們的血，寫七殺碑，殺盡你們同類。我不但爲被侮辱的母子復讎；我要爲我一切被侮辱的人們復讎。末日近了，你們應該斂跡。

二　生命之廢墟

過去的生命，正像一片廢墟；回過頭來一望，模糊地認不清楚了：祇有幾件電要的事，似乎一個個的塔尖，挺在地平線的上面。

先祖的遺築西溪草堂，——我的家鄉；——右面臨着明月溪的長流，兩岸夾着森森的樹木；左面一片田野；前面是先祖閉門種菜的園地；後面是梧桐竹柏，晚翠秋紅的花木。南向百餘步，土阜重重地屏障着；也是有名的南塘梅花塢。西寺的晚鐘；是當年楊鐵崖在此地對月懷人，低徊不忍去的地方。我還記得五年前，父親教我做西溪草詩第一首是：

家住江南明月溪，桃花流水小橋西；
詞人老去留鴻爪，將士生還駐馬蹄；
牖下曝書千萬卷，門前種菜兩三畦，
劇憐詩酒風流盡！空賸先人舊榜題。

本來這裏先祖先叔祖們娛晚景的別墅，也曾招集過當時的所謂名士歌詠其間。

現在呢，情隨事遷這些亭閣都沒有了。所是風物依然。觸動了我「故鄉無限好」的情感；每一次回來，覺得別有一番依戀的情愫。

這幾天來在草堂的西偏一室，弟妹們要補習英文，我便選了「天方夜談」The Arabian Nights 中動聽的，教給他們；他們覺得非常有味。晚上攜了手到田陌間散步，有時大嚼土產的瓜果，充分地享受田園的樂趣。我總抑鬱無聊，享受田園的樂趣尤其甜蜜，我的痛苦尤其增高。

母親沒有死的以前，她講了許多海濱的傳說給我聽；那牧兒漁娘農人的故事；還能隱約想像得到，只是記不全了。弟妹們還小，不能享受這種優美的文學的薰陶，不中用的哥哥雖能講「天方夜談」，那比得上母親所講的真切而有味呢。

晚上月亮東升的時候，母親抱着我到外面散步；她指着月亮，又指着西方夕陽的餘光，教我學他唱道：

東天佛佛，　西天寶寶；
寶寶歸去，　佛佛來了！

秋祭

夏天我跟母親在天井裏晚飯，我小時最歡喜吃雞蛋，沒有蛋，便要哭了，母親又教給我唱道：

佛佛下來吃飯飯，
明天就有好小菜！
吃過飯，領我們天上去頑頑；
天上有隻金雞，
生了兩個紅蛋，
我們帶了下來！

那時我便不哭了。到了冬天的夜裏，母親在燈下做針線，我要苦擾她，她又卜了燈花教我唱：

燈花紅，　爹爹給你買把弓！
燈花黃，　媽媽給你做衣裳！

燈花綠，　爹爹給你吃肉肉！

燈花白，　媽媽給你錢一百！

還有許多美麗的歌，可惜我記不全了。到了新年的時節，她用紅綠穿了康熙銅錢，做成元寶寶劍給我玩的，到了割麥的時候，她用麥桿編成筐子扇兒給我玩的。到了端午節，她用裹粽子的芽葉，輯成麒麟馬兒給我玩的。到了夏秋之間，她用茄子裝了四枝足，變了一頭牛。用蘆粟皮編做燈；用高粱莖削成筆，教我寫「天」字「王」字，教我畫鼠兒貓兒。這些都是生命之廢墟上的塔尖；我永遠不忘記的；後年我讀過了些本國外國的文學名著；在美術專門學校裏學過西洋畫；父親教我臨過多年的碑刻；我無論如何，總夠不上母親之教育的偉大。

三　遺憾

近年來我覺得有二件終天的憾事，盤縈在我的心窩上。第一我枉受了母親的偉大的藝術教育，後年又枉學了幾年的畫，竟不能畫出一張母親的遺像。並世也沒有畫師，像歸有光那樣辦法，按着兒女的相似處圖成遺像。我祇是借英國大畫家 Watte 的名作「慈愛」Charity 一幅；一位仁慈的婦人，在臂彎中抱了三個孩子；——正像我們弟妹三人——這幅畫我以為世間母親之愛的最大象徵。我便拿了我的母親裝在鏡框裏懸諸座右。我對着這幅畫，總要聲淚俱下的念 William Cowper 的名詩「受領母親的遺像」On The Receipt of My Mother's picture 中的悲調：

My mother ! when I learned that thou wast dead
Say, wast thou Conscious of the tears I shed?
Hovered thy spirit o,er thy sorrowing son,
Wretch even then, life's Journey Just begun?
Perhaps thou gav' st me, though unfelt a kiss?
Perhaps a tear, if souls can weep in bliss
Ah, that maternal smile! it answers—'Yes'

（母親！如今我知道你死了，試問，你也感到我流下的淚嗎？你的靈魂，徘徊在你的——當軔始入生的行路不幸而憂傷的——兒子的上面？雖是我不能感到，你也給我一吻？如果靈魂能在天國裏哭泣，你也給我一滴淚珠兒？啊，慈顏的微笑！回答我道——是了。）

第二我祇受了母親的文學的陶冶；母親死後，竟沒有一首詩可以宣一切隱祕的愛與恩感。我最是痛心自責，就是這些事還如此；母親望我成名立業，我更覺得汗顏無地了。

雖然，王爾德在獄中自述的「出深淵記」De Profundis中說：「一星期後，我搬到此地。過了三個月我母親死了。沒有人知道我怎樣深的敬她愛她。她死了我只是戰慄；我呢就算一時的詞章大家，A lord of language.也沒有話以表我的痛苦與悔恨。」王爾德睥睨一世的文壇健將，尚是這們說：像我這樣的不肖，還有什麼話呢？罷了！

十一年十月之歸鄉雜記

遺忘的彼岸

近來的生涯，像在失眠的長夜裏，四圍黑漆似的瀰漫着；耳神經眼神經加敏了數十倍，就有了一點微細的聲音，也像那裏有個龐大的東西在作祟。同時這黑暗中，像有無數的鬼怪來追襲我，我只是惶恐，若大禍之將至！

我又像設身在人羣中，有時不住的在那兒盤旋，像失掉了一件寶貝；有時呆望着不相識的羣衆，熙來攘往，連我——世界上有個我——自己也忘記了。

渾身發着熱病，一絲絲的脈絡隆起了，血管止住了流動；像是周身紅腫得不成樣子。在這種冷暖不調勻的節氣裏營養下去，我想不久，我的全身會潰裂得像死獸一般的血肉淋漓。

我現在只覺得我是獸不像獸人不像人，一個莫可名狀的怪物。飢了，縱有山珍海味，也不中用；只想到那污穢的地方，找些糞蛆蟲豸，供我的大嚼。渴了，縱有美酒香茗，也不中用，只想伸長我的頭頸到溝瀆裏作牛馬飲。一切豐衣美食，早成了我的仇敵。

愛我的，恨我的，欺侮我的，譏笑我的，教訓我的，一切與我有關係的人們，我要張出爪牙盡致他們於死境。於是我呵呵地自得其樂，到大荒絕境，不知所終，上天鑒我！使我羸弱的身體，變爲雄奇魁偉，成全我的願望。

寫到這裏，這種癡人說夢欺人自欺的話，不覺得自己好笑起來了。

* * * * *

The moon like a flower
In heavens high bower
With silent delight,
Sils and smiles on the night.

多麼美麗啊，Wm, Blake 的詩。哦！明月之夜浮上我的心頭了。

我於四年來棲息於H山，一所幽冷的寺院「H山神社」，一度做我休息的場所；白天挾了幾本愛讀的書，在這兒朗誦。晚上明月懸中天，我在後園踽踽地踱東踱西，發着無謂的妄想，對着我的影兒自言自語。不久就有你來並着我的肩兒，深夜月明人靜，你在唱 Sweet Home 。死一般的一草一木都活了回來，相互戲謔；空中的羣星更輝煌得利害；我只是半驚半喜地消受那些說不出的情調。

藉着高架電車高原，我們站在這裏，抬起頭來一片無涯的星海；低着頭踏燈映在水道裏，一眼無底的星淵。都會的光焰在遠處地平線上發熱，萬物沉靜，只有我們的呼吸，我們心臟裏有規則的跳聲，從O高原到S橋一條冷落的死路上，祇有我們倆火球似的，二個併成了一團，熱轟轟地混過去，混過了高原踏足在深淵。

H神社已成憲兵的駐所，你的歌聲早爲槍彈驅逐出了。O高原在大地動搖的時候，把我們曾立足的位置坍圮了。啊！朋友！舉世本來一座荒邱，本來洪水猛獸所盤踞的；自我與你結合了後才會造出一切的美境，我與你分離了後一切的美境復歸無有。

* * * * *

人家所畏縮而嫌恨你的，就在你的狂放你的驕縱，你視自身以外的人們半文不值，於是千萬人中沒有一個能夠諒解你的。在我面前，你突然除去狂放驕縱的面幕，現出一種綢繆幽遠之情。這一點，無上的女性美就在這一點，我能夠諒解你的也在這一點，可惜諒解得太晚了。我想到這裏，那天清清早我躺在被窩裏，半醒半睡，忽然看見你從梢容野馬的背上墮下，對我說了許多話；我記得格外清楚，而且永遠埋在我的心坎裏。

這一張白紙隨處可以找到的，算不得什麼稀奇，但是經過了你的紫色的筆尖，用了你的精神，劃了許多動人的字句，我便視之如拱璧。然而拱璧還是平凡的東西，我視之無可比擬的珍寶。一切物事都是平凡的，自我與你結合了後，就有奇珍出現，同時別人得了你的這種東西，又仍歸平凡了。

我是飄流在海上的浮尸，自從你受領了我的自畫像，我纔攀援到你的慈航，渡到彼岸，把我葬在你的心地。溫暖的柔順的把我薰活了，現在我從你的心地裏跳出來，把半身活埋在冰冷的泥土裏。

* * * * *

我的幻覺裏，看見你在一處春光明麗萬花叢中，你一個人赤裸裸的披了散亂的長髮，仰而狂吟，俯而泣涕。又像看見你一個人伏在一座荒邱上，你那一雙潔白的手，撫住你的心房，搖頭長嘆。我但願你罵我咒我恨我，因為愛我是極平常的事。

啊，終竟我的幻覺罷！即使你現在正是優遊於豐美的生涯，無憂無慮向着榮華前進，一剎那間回念及我　我又要驕矜了，這時我比古來的帝王將相大學問家大藝術家都尊貴，作着鐃吹，奏那勝利的凱歌。

悲哀到極點要死，歡樂到極點也要死，無論悲劇與喜劇的結果，都是死。悲劇的主角是我，喜劇的主角也是我，疲憊極了。我這笨重的頭兒，擱在枕子上，奄奄

一息，眼兒半開半閉地在等死●

三月末，白山

無窮的痛創

F君——我於八月十六日，移住到FM病院。

病室之外，樹木蔭森；秋蟬的狂噪，聲聲地把我躍動心兒遏住了。我忍不住回想到故鄉的「西溪草堂，」啊！有家歸未得！朋友！我們祇好相抱而哭罷。

醫生對我說：「在你痛苦的時候，須想到歡樂；在你孤寂的時候，須想熱鬧，」這話似乎很對，仔細想來，我以前的生涯，沒有一天歡樂過，也沒有一天熱鬧過的。我徒然費去了幾身冷汗，追念那泡影似的沒有成熟的歡樂與熱鬧，來增加幾分痛苦，幾分孤寂。

室中四壁塗着紫褐的顏色，這種肉的色彩，像一頭死猪，剝去了毛，映出不會流動的血痕，壁上有滲出一朶朶的水漬，有的像龍馬，有的像人物，有的像鳥鵲；總括一句像原始人的繪畫雕刻，我不由得被牠們引誘了，注視了好久，像在研古學研究室裏做工夫。一件件的畸形怪狀，摺疊到我眼前了；一幅幅的胡思亂想，也摺疊到我心上了。

天黑了，露臺上的日本姑娘們，——看護婦——在同聲同氣地低唱三木露風的詩句；我纔想到住在日本人的病院裏，我又想到日本的情調、我尤其想到三木露風住在海濱的修道院裏，和我這時一樣的枯寂，啊！我那有三木氏的天才，著出歌辭，被姑娘們傳唱呢，休休！

看護婦時時拿了寒暑表來量熱度，以外便沒有一個人來存問的了。我總是抽出紙烟來亂吸，這是醫生准許我的，我也借此吐氣一下。燈光充滿在這小小的病室裏，逼着我東西張望。玻璃窗上一個小甲蟲，繞着鏡框不住的盤旋；如果我不像今天那樣的四肢疲備，懶於轉側；我定要把我的指頭搗死牠。啊啊！牠也是受命於上帝而生的活物，從此我悟到死是偶然的，說不定我們遇見了強有力者，也會死在他們的手掌中。

我現在好像臨到死的時候了，我不怕死，但我不願意死於現在。在這謗言四起百喙難辭的時候，我死了，有人疑我怕事，不不不，新聞紙上的詆毀我，我也不問；朋友們口頭嗤責我、我也不問。說我棄舊憐新，由他們去說；說我做頽廢派的文章，也由他們去說，與親戚久違，與兄弟不常相見，他們不諒解我我也不辨。他們對於我兀傲自尊的性情，絲毫無損。我祇對於你近來抱一種落漠的態度，對於你自身，對於我，以至對於其他，都很冷靜；而我戚戚然以不我諒解為憂呢。

朋友，你對於我決不許為流言所眩惑的罷！我們十年來的交誼，許多人說我們有同性愛，我們倆誰都否認的。但我反復思忖，我不管我坐直頽廢的罪名，我也承認這話有點意思的了。你最後對我說的：「凡事都為不滿足而鬧出的，以後應該滿足一點。」起初我果然同情你的話，後來一想，覺得不盡然了。人類從沒有滿足的時候，到滿足的時候，人類怕要消亡。某人要滿足，教別人也要滿足，他就是不滿足。譬如老子要清淨，教別人也要清淨，他就是不清淨了。我果然時時不滿足的，而立於我對敵的地的，他們也是不滿足。Browning 的詩，你所愛讀的，請誦其語。

Poor vaunt of life indeed,
Were man but formed to feed
On joy, to solely seek and find and feast:
Such feasting ended, then
As sure and to men;
Irks care the crop-ful bird? Frets doubt the mawcrammed beast?

古之人飽食終日，無所用心，他們還要去博弈，不滿足的由來，不是一朝一夕呢。你去想一想罷，我們還是多鬧一點事出來。

到病院裏來，只帶一冊「英詩選，」無意之間，翻出夾在這裏的，以前寫給N的幾封長信；深藍色的字跡還沒褪去，然而她送還我了。我還藏着幹什麼？卽使我這囘死了，我才不逮 John Keats 中國也沒有 Hampstead Public liberary 誰來搜去珍爲遺品呢？我想到這裏，一頁一頁的把牠燒掉了。啊啊！

朋友！肉體上的痛創是有限的，醫學博士會替我療治好的。可是我的精神上有無窮的痛創，提起了無論呼天怨地，痛責自己，這些痛創仍鮮紅淋漓的封不住呢！我想到這裏，不得不呼援於你，朋友！

* * * * *

今日（十七日算日記也好算寫給你的信也好）我醒過來天光尚在黎明，昨夜夢中看見先君，醒來我抱頭大哭，他死後一週年快到了，這囘我應該囘去薦祭的。去年此時，爲了日本大地震，我寓關北w社事務所，你深夜來敲門，說我父死了。……我再不忍囘想去了，只是到現在他所期望我的、我一點沒有成就；祗好待服死罪，待服死罪。

拭了眼淚開窗，清風吹進來，有如喝了一杯薄荷露；遍體涼爽；想到隣近的都會，設置了灼熱的油鍋，行尸走肉們，赤條了的跳下去，炸得沸熱腥臊；我又寒心起來了。

朋友！記得嗎？我發明過一種食品，你們所敬服的；將廣東的臘腸，與美國的葡萄乾並嚼；有猪油白糖糕的滋味。我這幾天胃口不好，食物無味，我又想出一個法子，用檸檬露時時漱口，覺得甜澀澀的；嗣後進食物都帶有檸檬味了。這雖是不經濟。而我一時的肉體上的麻醉很暢快呢。一切的發明品，怕都由苦悶裏來的罷，就像你時時提起蘇曼殊他在神經病發作的時候，關住在一室裏，以現用的銀幣改製奇妙的玩物；這是一個明證，這樣看來，惟在苦悶的時候：會得到眞的樂趣呢。

別一室裏的一個中國看護婦，很年輕的；她時時走到我的室中，問幾聲：「好一點嗎？」我總說「好一點了，謝你！」我覺得對於年輕的女子，早沒有和她們談話的資格了。我並不希望她時時到我室裏來，只是我私下爲她禱祝前途的幸福；她這們仁慈，我想定有優渥的後福。

白天裏朦朧地如睡非睡，如夢非夢；神經沒有甯靜的時刻。從寓裏轉來TS的信，她也在病中；然而她還沒知道我有病，並且住在這院中。教我怎樣去安慰她呢。

深夜聽得遠處村莊裏的犬吠聲，使我想到故鄉，想到小時候伏在母親的懷中；啊啊！我母親在天上，她一定會看見我這時灰白色臉兒，披了蓬髮，還臥在異地的醫院裏。啊，我何以對她呢！朋友啊，我那無窮的創痛啊。

* * * * *

十八日，別了一年多的K君，從T埠到這兒來；他看了我的面貌，驚惶地退了幾步發着寒慄說：「別了一年，你的容顏瘦削了一年，究竟爲了什麼？」我一句話答不出，我自己也不知道爲了什麼瘦削到這樣田地。祇是搖頭長嘆。他又談起這回鬧出的一件怪事，他很懷疑，我也不願意辯白；本來毀譽是非，我早已置之度外的了。朋友中諒解我也好，不諒解我也好。

K君之來，我頓時想到我們在東京時，總要來往閒敍，作怪異的說教。我那不可一世的氣概，自己追想起來，十分有味；現在那種氣概不知銷沉在何處？再要教牠囘到這奄奄的殘喘中，怕沒有這個時間了。

平時我曾說過：我囘來了後，變了半身不遂似的，一舉一動處處不如活的。朋友們常常笑我在東京總有特別的流連，差了，差了，我在東京無憂無慮，買了幾本新書，增一快樂；與同志們亂說一堆，又增一快樂；其實我的生活這樣，最爲適宜。

荆棘的前路，教我怎樣走過去呢？朋友！

我雖然時時想到人間的精神，充滿了生的力與生的慾望。我沒有盲目啞聾，身體上一點沒有殘廢，自宜奮上進，可奈精神上刻了久遠的傷痕，陷於病的狀態中，弗能自振；自己要想好自做去，總是力有不逮；我與別人一樣聰明，一樣有為，然而我總是讓別人在我前面。

K君與某女士訂婚了，我為K君賀，我為我自己悲！

＊ ＊ ＊ ＊ ＊

十九日ST來信，責備我沒有信去；她還沒有得到我信。

我只求諒解別人，不求別人諒解我；因為我經驗了諒解別人的難處；誰願去嘗難的滋味呢。

深夜沒有睡覺，懸擬AB二人的對話。

A 你這潔身自好的青年，求異性也該純朴而莊重的才好！像X女士是一個放浪而富於虛榮的女子；與你不稱的。

B 我對X女士很滿意，放浪是天才的暴露，虛榮是天賦予女子的專利品；你看那種髮如展豕的女子，她放浪嗎？她會想得到虛榮嗎？

A　你又要這樣說了，如其一個人想透了，放浪是沒意義的，虛榮是空的，那是聰明睿智者。

B　一個人想透了，纔把沒意義的當爲有意義的，把空的當爲實的呢。

A　你這話別人不懂的，就是X女士也不懂得。

B　人不懂我也能，祇要我懂得人就是了。

A　X決計不會諒解你，決不會眞愛你。

B　這一點我不去考量的，祇要我諒解她，我愛她。

A　這又何苦呢？

B　卽使她不愛我，不能容納我的愛，這是運命使然。我以她爲對象而發生愛，也是運命使然。

……………………

枕上背誦了心愛的詩歌。我覺得能安慰我的，便是那些大詩人的心靈。

死人之歎息

二十日C君抱了一腔豪俠之氣，担負着我的重大的使命，到M橋了；我但望他早一點囘來。

* * * * *

離了床褥，頭部發熱，舉止莫由自主。啊，天天這樣睡在床上，與死竟差不多了，或者比死更討厭。我深望死一次再活過來；究竟死是怎樣的，可怕的，還是可喜的？沒有這種經驗，也要論死，怕都是趙括談兵的流亞罷。

昨天精神耗費了太多，今天百不稱意，口渴時時嚼些水果，腹中飽滿了。覺得這瘦骨如柴的身體，一變而爲肥胖的了；假使我眞肥胖的了，多麼可笑呀！

* * * * *

二十一日望C不囘來，在這酷熱的天氣中，教他跋涉，他在中途或者死了，那我怎樣對得起他呢？其他的一切胡思亂想拋却了，祇是爲了一件事焦灼。

一天到晚，把全部的精神消磨在這個妄想中。

* * * * *

二十二日M橋來的快信，我全身覺得輕了一半；C沒有死在途中，我更放心。看護婦知道我快出院了，格外的殷勸。我覺得四壁充滿了一種怪異的神情，譏笑我，可憐我，懷恨我，好待我，究竟我的痛創還不曾愈呢。

追想與我有關係的人，他們在幹什麼，歷歷在眼前。莫多管事！雖是這樣自責，生性如此，也是沒法。

低微的炭火

——三角戀愛的序文——

我今執筆爲華傑做「三角戀愛」的序文，以我與華傑十載相知；同門而逾於骨肉；而我又爲書中的主人公之一，往事層層，忽然在前，忽然在後，反使我莫由下筆。

我爲了此事：各家報紙上詆毀我；識與不識者相率譏笑我；先輩以側目視我；朋儕以鼻息嗤我；親戚昆弟以揣測疑我；母親涕泣述先人的遺訓，以大義責我；我還有怎樣面目序「三角戀愛」呢！我自從遭此不測，如同冷水投懷，閉門伏瞪，夙夜戰慄。事後，我雖然覺得自己沒有涼德惡行，於我兀傲自尊的性情，絲毫無損；而我祇在明鏡的前面，向着自己訴怨。我對於別人一點沒有抱怨，我在日記上早已說過：「別人不諒解我也罷，祇要我諒解別人，因爲我體驗了諒解別人的困難；誰願嘗這種困難的滋味！」（見獅吼第六期無窮的痛創）在這一點上，華傑的工夫比我更加切實，他的「三角戀愛」的成功，也就在這裏。

我在這裏，先要把華傑怎樣的一個人？應該說一下：他是個穎敏無匹的人；在十餘年前犯了一件罪惡，——人家稱他犯罪我是不承認的——他受世俗的詬訾；於是他自行檢束，幾如道學先生。當革命時，他雄心勃勃，又是個志士。在民國初年至五年時，他著述小說，得世俗的驚嘆；然而他與時流不同，他在「民權素」上做的一篇「梳頭婦」，在當時是很不易得的創作。自是以後　他又經營商業；往來於歌臺舞榭之間。他忽又閉門藏退，治兵家法家的學說。以至於今，他的內的外的生活，還在刻刻轉變。因爲他的生活複雜，毫無物累，所以他是獨行其是的人。我是親眼看過的；他又是一個好客的人，當時寄食他的門下的客人，現今一個一個都高發了；並且一個個都不認識他了；他自安窮厄，對他們一點沒有望報的心思。不但這一點上，他自己雖然窮厄，還是不斷的從井救人，所以我們朋友中稱他聖人的。

我與華傑，所謂同門．這裏應該伸述的，就是我們倆先後受學於邵心箴先生之門。心箴先生精究宋儒理學，身體力行；邑人士畏敬而不敢晉接的。當十餘年前，華傑被世俗指摘爲犯罪的時候；物議沸騰，相互憤激地自於先生之門，請示懲罰！先生靄然無動，微呼華傑來前；不但不加斥責，且周內地安慰他；於是物議如猢猻的竄散，而華傑踏上自新的道路了。啊啊！惟眞道學者，容人悔改；彼如滔如潮的物議，那值識者的一笑呢！在這裏，我想到「約翰福音」上說：

1.

And the scrides and the pharisees bring a woman taken in abu-ltery; and having set her in the midst, They say unto him, Teacher, The woman hath been taken in abultery, in the very act, Now in the Law moses comanded us to stone such: What then sayest thou of her? and this they said, trying him, that they migh have "whereof" of accuse him. But Jesus stooped down and with his finger wrote on the ground, But when they continued asking him, he lifted up himself, and said unto them, He that is without sin among you Let him first cast a stone at her. And again he stooped down, and with his finger wrote on the ground. And they, when They heard it, went out one by one beginning from the eldest. even unto the last: and Jesue was left alone, and the woman, where she was, in the midst. And Jesus lifted up himself, and said unto her, woman, where are they? Did no man condemn, Lord' and Jesus said, Neither do I condemn theegot. hy away; from henceforth sin no more.

「文士和法利賽人，帶着一個行淫時被拿的婦人來，叫她站在中央。就對耶穌說：夫子！這婦人是在行淫時被拿的。摩西在法律上吩咐我們，把這樣的婦人用石頭打死；你說該把她怎樣辦呢？他們說這話，乃試探耶穌，要得着告她的把柄。耶穌却灣着腰，用指頭兒在地上劃字。他們還不絕地問他，耶穌就直起腰來，對他們說：你們中間誰是沒有罪的，誰就可以先拿石頭打她。於是又灣着腰，用指頭兒在地上劃字。他們聽見這話，就此老老少少一個個的都出去了；只剩下耶穌一人，還有那婦人仍然站在中央。耶穌就直起腰來，對她說：婦人，那些人在那兒呢？沒有人定你的罪嗎？她說：主啊，沒有。耶穌說：我也不定你的罪；去罷！從此不要再犯罪了。」

啊啊，文士和法利賽人啊，議論是非曉曉者啊，枉費了你們多少自鳴得意而自命寶貴的口舌之煩，可是耶蘇沒有定婦人的罪，心箴先生沒有定華傑的罪；終於你們如喪家之狗不敢咋舌而踢足逃去。

心箴先生所器識華傑，就是華傑有才智過人行不虛飾。後年我遊於心箴先生之門，也就在這一點上器識我。而我們出了師門以後，同在上海；先生還時時垂教。無論通信的時候遇見的時候，在我面前務必提及華傑，在華傑面前務必提及我的。我與華傑同受這樣奇寵，常常竊自慶幸的。不幸前年的冬天，先生長逝了。那時我也在東京，我的弟弟正在他的門下，來信報告了後，流涕徹夜；草了一篇祭文寄呈師叔心傳先生。又在寓中設爲先生之位，日日馨香以祭；東京朋友們都笑我愚陋，惟是往來較密的方光燾張水淇兩兄，明白我們不是尋常的師弟之誼。第二年我歸國，拜於先生之靈。那時聞師叔心傳先生說：「先生死後，邑人士舉追悼會。邑宰率領邑之所謂紳士清流，參與斯會；百數十門人，羅列左右；談笑自若，好像宴慶的事。而華傑忽在人叢中闖進，伏先生的靈前，大哭不已！許多人因此屏息不敢聲張的了。」最後心傳先生嘆息流涕而對我說：「我道不行！你與華傑互相勉勗罷。」——我想到這裏，我這回鬧出的一件事，雖不曾達到華傑十餘年前的事的程度，總是相彷彿的。我何以對先生，啊！我何以對先生呢。末世披猖　古人不作　耶穌不必說，而我最敬愛的心箴先生也長往了。我伏在中庭，被文士和法利賽人，被是非的論者，十目所視，十手所指，對着我嘻嘻然欲得而甘心。啊啊！從此我那哭先生的眼淚，永沒有揩乾的日子了。

華傑長我十年，從我初到上海時至於今日，也要十年了。在這十年中，我們二人的歷史；怕寫到頭髮白的時候都寫不盡呢！今年的新年，我東渡的前夜，在某麼店裏，他埋頭做了一首「浣溪紗」送給我說：

「風雨雞鳴送子行，　悲歡離數試懷情；　你儂自己不分明。

刻骨纏綿春花蛹；　銷魂離別夜啼鶯，　忽驚雙鬢落星星。」

諾若！我何以抄出這一首詞，因爲「三角戀愛」這一幕悲劇的形狀：像一座山，那末這首詞是頂點；如其像一個平面，那末是劃分前後的一條線；如其像圓形的，那末是一個中心點。我與他同在山上蹚下了，同在平面上驅逐了，同在圓形中滑跌了；我想到這裏，他的喋喋不休做「三角戀愛」，何等嚴肅而沈痛呢！

華傑以知人之明，知己之切；他述「三角戀愛」我無間然。關於我的一層，一方面他是傍觀者清，我的一切難言之隱，他爲我宣洩了；我在陶醉中一切模糊影像的事，我所記不得的，他爲我提及了；在這裏，我不禁地感激他。然而在別方面，他的敍述，只是他的眼中之我；我自己總該說出自己眼中的我。我最怕在已死的生涯中，挖出低微的炭火，來煽得灼熱，使我全身緊張，血管爆裂。啊，我那有勇氣涉筆追懷往事！而況我現今漂泊異國，住在離隔都會的荒郊的小屋裏，每天諷詠（Cary英譯但丁的「神曲」，以抑住自己的悲憤。此時我重讀他的地獄篇的第五曲，當但丁到第二的獄窟，遇見法倫西師加，正在訴其怨抑；他就爽然仆踣於地。當時他對他們說：

"Erancesca ! your sad fate,
Fven to tears my grief and pity moves.
But tell me: in the time of your sweet sighs,
By what, and how love granted, that ye know
Your yet uncertain wishes?"

「法倫西師加！你的薄命
我想起了悲痛啜泣。
你甜蜜的長嘆時，你告訴我，
由何地成全你的愛戀，
成全你未定的願望？」

她回答他說：

死人之歎息

"No great grief than to remember days.
Of joy,when misery is at hand

……………………

「今也不幸，再沒有更大的痛苦，
比重提歡樂的日子」！
她繼續說了些悲痛而戀愛的往事，但了他在此曲的結末說：

While thus one spirit spake,
And other wailed so sorely, that heart-struck.
I tbrough compassion fainting, seemed not far.
From death, and like a corpse fell to the ground.

「一個英靈在說的時候，
別一個英靈號啕大哭；

我大感動喪心惘惻亦瀕於死，

有如一個死尸卒然仆倒於地。」

我讀到這裏，連我讀「三角戀愛」的勇氣都銷沉了，那有自白的勇氣。然而我覺得不得不一說，總是一點也說不出。在這說不出的中間，纔有無盡藏的眞實話。藝術家的作品，就把這種眞實話和盤托出。那末我對於「三角戀愛」的作者，應得頌揚。更進一層，「三角戀愛」的每行每字之外，尙有無盡藏的眞實話；我們應得用一番苦心，在筆外求情，言外求意呢！那末我更有何說。

十三年十月末日滕固序於東京澁谷

自記

一九二三年的暑假，我回到祖國，日本大地震；我的白山上的寓所，雖倖免於難，而已被充爲難民收容所的了。在這時，我失去了數十册貴重的書籍，不足爲奇！又失去五册 Note Book，至今心中刺刺不安。這五册 Note Book 裏，有未完篇的小說稿，日記稿，雜文隨筆稿；詩稿，一大半沒有發表過的。蒼天厚我，教我不要獻醜；我當然感激牠的。然而區區心血所寄，譬如自己生的兒子惡劣，不顧人家把他打死；我還未能免俗的傷感，也是人之常情。

於是我想起整理舊稿。在這名著如林的出版界上偷眈眈地挨進一腳，湊個熱鬧，一樣是腳，人家是套上絲光襪，穿上漆皮鞋；我是瘡痍斑剝，紅腫不堪；殘疾者的赤腳。相形之下，美醜彰然。假使人家的腳脫去了鞋襪，是否和我一樣的殘疾破爛？那我不得而知。我也是染着評頭品足者流的傳統習慣，「只重衣衫不重人！」

以此推想看官們，對於人家的脚當然恭而敬之，對於我的脚掩鼻而過之；就是鞋襪先生們也感到羞與爲伍，憤而斥之，從此我的脚，沒有立足地了。那末我硬要挨進去的原因，究竟何在？一層是尋那和我同患惡蘚的病人來憐憫。一層尋那天醫匠手來診治。

人類本來是赤脚的動物，鞋襪的發明，爲了裝飾嗎？爲了遮羞嗎？這一個問題的考察，要起 Carlyle 先生於地下了。若是 Carlyle 先生在世，聽得這個問題，他的思想會動搖了；他對於衣裳哲學的考察，進而做鞋襪哲學的考察了。我於是翻出「史記」，把張良圯上進履的故事，翻成英文給他。當此支那學說盛行於歐洲的時候，他老先生撫了鬍子，一定萬分歡迎。著一部「納履者」，與拉丁文爲名的「Sartor Resartus」後先媲美！在這時，或者我也可得到一個博士銜。可惜 Carlle 先生早作古人，這博士的夢想，終竟沒有實現的時候了。

閑話休題！這一隻爛脚上的瘡疤血跡，也是三四年來殘病的成績。一大半，在

自　記

地還詩被人家無意之間刪刷去了。這一大半柯一岑兄爲我保留在幾年前的「學燈」上；和其他朋友們爲我保留在別的雜志上。在這裏，我不盡的感謝他們那種嗜痂的好意。

窗外紅葉蕭疏，顯出秋娘的嫵媚，她是譏笑我浪費靑春，她是惹起我晚秋的傷感。我撫着自己的爛腳一看；還在流出膿血。啊！我的殘疾永不會療治的了。一切願望、一切……一切的一切，祇有流淚長嘆息。

一九二四，十一，八。自記於東京澀谷

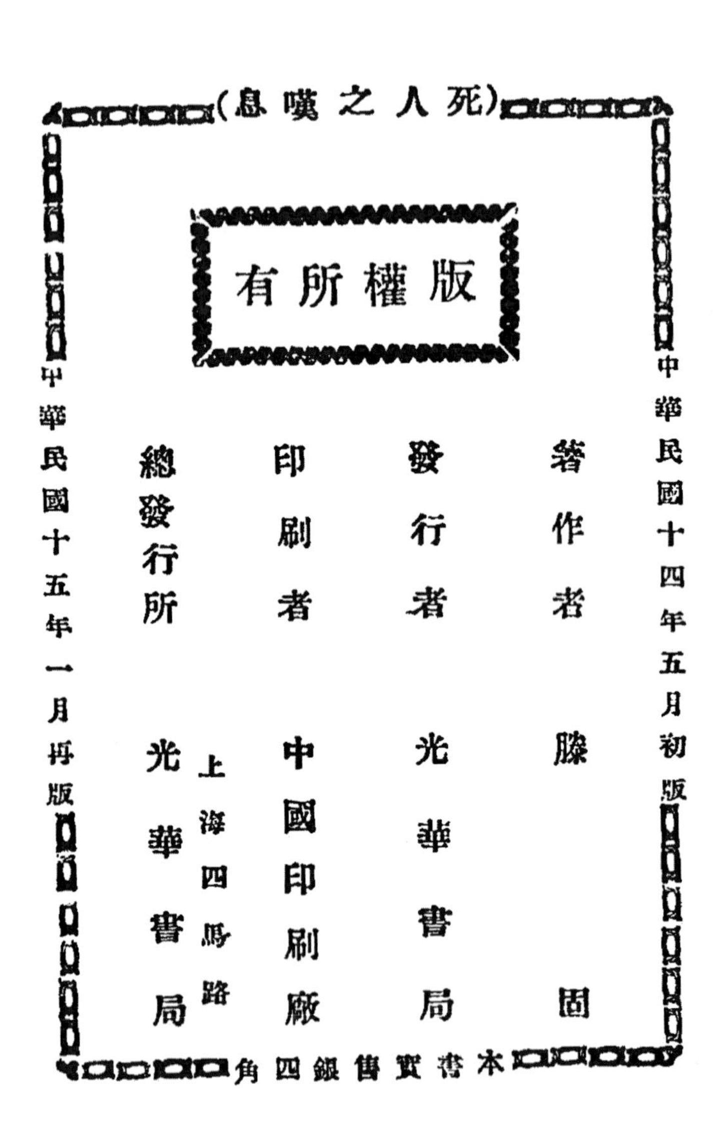

(死人之嘆息)

版權所有

中華民國十四年五月初版

中華民國十五年一月再版

著作者　滕固

發行者　光華書局

印刷者　中國印刷廠

總發行所　上海四馬路　光華書局

本書實售銀四角